GW00393142

LA NOUVELLE VIE
D'ARSÈNE LUPIN

ADRIEN GOETZ

LA NOUVELLE VIE
D'ARSÈNE LUPIN

*Retour, aventures, ruses,
amours, masques et exploits
du gentleman-cambrioleur*

roman

BERNARD GRASSET
PARIS

IL A ÉTÉ TIRÉ DE CET OUVRAGE
VINGT EXEMPLAIRES
SUR PAPIER VERGÉ DE JEAND'HEURS
NUMÉROTÉS DE I À XX.

Photo de jaquette : © gettyimages

ISBN : 978-2-246-85571-2

ISBN-Luxe : 301-0-000-05448-1

© *Éditions Grasset & Fasquelle, 2015.*

« Soudain la main quitta la sienne, le bandeau
s'envola de son front, et l'inconnu s'arrêta :
il était arrivé au sommet du Mont-Tonnerre.
"LUI ! s'écria-t-il épouvanté : serait-ce lui ?" »

Alexandre Dumas, *Joseph Balsamo*

Chapitre 1

Arsène Lupin contre Herlock Sholmès

LUI ! Serait-ce lui ?

Cette question, le jeune Beautrelet n'a pas cessé de se la poser depuis leur première rencontre, qu'il n'osa pas tout de suite appeler des « retrouvailles ».

Le cri de la foule s'était entendu jusque dans la Petite France. Une déchirure était apparue tout en haut. Les crochets avaient commencé à céder au sommet de la cathédrale. Haro sur la bâche ! Une seconde clameur avait salué l'effondrement de la toile plastifiée. Elle s'était déchirée en deux morceaux de plus de soixante mètres.

Puis, le silence.

On avait volé la façade de la cathédrale de Strasbourg. Sous le rideau, il ne restait plus rien. Plus une statue, plus un pinacle. Les saints, les cavaliers, la Vierge de pierre, les prophètes avec leurs bonnets, les vierges folles et les vierges sages, les trois vertus théologales, les gargouilles en forme d'animaux fabuleux, les apôtres, et Lucifer lui-même avec sa

marmite n'étaient plus là – il ne restait qu'une car-
casse, un mur de pierres rouges râpeux comme un
gigantesque gant en paille de fer.

Personne ne s'était attendu à ce formidable événement. Toute la place, depuis les colonnes mar-
quant l'entrée du palais Rohan jusqu'à la taverne
Kammerzell, était pleine de manifestants, des
altermondialistes et des anti-pub venus de l'Europe
entière pour crier en chœur des slogans contre la pollution visuelle et l'économie de marché.

La bâche publicitaire qui masquait depuis plus
d'un mois la façade de la cathédrale avait commencé
par onduler doucement. L'année du millénaire de
la première pierre, posée par l'empereur Henri II le
Boiteux, sa sainte femme Cunégonde de Luxembourg
et l'évêque Werner de Habsbourg, cela faisait mauvais genre. Cette bâche, c'était un symbole.

C'était surtout une machine à laver, de marque
allemande. Le maire et l'archevêque, que les militants accusaient de s'être, l'un comme l'autre, sucrés
au passage, avaient mis au point une argumentation
inattaquable. En laissant Schmidt-Rottluff faire de
la publicité pour sa nouvelle merveille avec séchoir
électronique, pendant un an sur cette vénérable
façade médiévale, on finançait tous les travaux de
restauration indispensables à la sauvegarde du chef-
d'œuvre de grès rose pour le millénaire à venir. Il
y avait urgence : une tête de diablotin ricanant, en
décembre, s'était écroulée sur une échoppe de tis-
sages chiliens du marché de Noël. Un cadeau ines-
péré pour l'architecte des Monuments historiques,

soucieux depuis quelques années de déclencher une nouvelle vague de travaux pour prélever son pourcentage. Avec le mécénat, ça ne coûterait rien. Il fallait juste admettre l'idée que la technologie Schmidt-Rottluff concurrence un peu le mécanisme savant de la célèbre horloge astronomique de la cathédrale. Celle-ci demeurait accessible, sur le côté droit de la nef, mais son accès payant avait augmenté de cinquante centimes d'euro. L'Église, elle aussi, souffre de la crise.

Dans la foule, entouré de caméras, le jeune Paul Beautrelet, pantalon clair et veste bleu roi, observait cela comme on contemple une aurore boréale. Il croisa le regard d'une militante brune, à deux mètres de lui. Elle n'avait pas les yeux dans le vide, comme tous les autres, les stupéfaits. Elle avait l'air de se concentrer, de vouloir comprendre. Le jeune homme aimait les femmes un peu plus âgées, mais celle-ci, il n'aurait pas pu la dater. Une beauté médiévale, descendue de sa corniche sculptée de feuillages.

Grande, en noir, style Carmen, elle le regarda en souriant. Sans doute était-elle une de celles qui, ce matin, dans le grand amphithéâtre du Conseil de l'Europe, étaient venues entendre ce garçon de vingt-cinq ans qui parlait si bien de sa thèse de biologie avec de si beaux yeux gris, qui changeaient de teinte selon la lumière. Paul était plutôt satisfait de ses yeux caméléon, un héritage de famille.

La compétition avait été suivie en direct par des milliers d'internautes à travers le monde, et Strasbourg était devenue la capitale de tous les chercheurs – et des admiratrices du petit prodige. Il pensait bien l'avoir vue, dans le public, pendant qu'il parlait.

Il avait gagné. Contre des mathématiciens, des historiens, des philosophes, et même de futurs docteurs en ethnologie de la gastronomie, des physiciens atroces et des astrophysiciens passionnés par le vide et tout gonflés d'eux-mêmes. Le principe, «simple et ludique», avait fait le succès de l'émission : partout dans le monde, avec des amis, au café qui est à côté de la fac, quand on vous demande : «Ta thèse, c'est sur quoi ?», il faut répondre en trois minutes quelque chose qui impressionne, mais qui ne vous donne pas l'air trop inaccessible. Devant un jury de spécialistes et d'internautes, il fallait en faire autant, et les candidats avaient franchi toutes les étapes, jusqu'à ce qu'il n'y ait plus que dix finalistes, ce matin dans la grande salle des séances. Plus de trente chaînes de télévision de toute l'Europe avaient joué le jeu, et sur Facebook et Twitter, des millions d'amateurs avaient regardé, voté, élu un seul étudiant parmi les dix : Paul Beautrelet, inscrit en thèse de biologie, bien connu des habitués de toutes les fêtes et beuveries du campus de Jussieu, fier et heureux de porter le drapeau de Sorbonne-Universités. Il avait raconté une petite histoire qui commençait par : «Que savez-vous du miel que vous mettez sur votre tartine le matin ?» et avait fini en lançant : «Et c'est ainsi que je peux vous annoncer ceci avec certitude : les premiers hommes immortels – et les premières femmes aussi bien sûr – sont déjà nés ; peut-être même y en a-t-il dans cette salle aujourd'hui. »

Au musée de Paestum il avait vu, lors d'un voyage avec sa classe de latin de troisième dans le sud de l'Italie, une fiole de verre contenant une substance dorée, intacte, sans doute comestible, produite par des abeilles qui bourdonnaient au ve siècle avant Jésus-Christ. Cela l'avait fasciné. Son idée était de sortir une molécule extraite des composantes très nombreuses qui se trouvent dans le miel, en particulier des enzymes, et de la réinjecter dans des cellules du corps humain. Le miel était connu dès l'Antiquité, sous les murs de Troie, pour la cicatrisation des blessures. Il possède, à l'état naturel, des vertus antibiotiques, c'est ce qui avait donné l'idée à Beautrelet de s'intéresser à ce nectar. Il avait franchi une étape, en démontrant le rôle de ces molécules mutantes dans la régénération cellulaire. Il était parvenu à stopper le vieillissement chez une souris, qu'il avait baptisée Maya. Elle allait se retrouver l'héroïne de sa thèse, et il espérait bien qu'elle atteindrait un âge vénérable. Il avait fait une petite blague sur ce qu'on appelle l'âge canonique chez les souris de laboratoire, qui d'ordinaire partent très tôt au paradis des rongeurs : prix du jury, prix du public. Paul, toujours souriant, chemise Oxford blanche Uniqlo et Swatch rouge, avait cumulé les deux récompenses sans effort apparent.

À peine élu, il avait pris la parole pour dire qu'il était très heureux d'être à Strasbourg le jour de la grande manifestation antipublicitaire, cela correspondait à tout ce à quoi il croyait depuis toujours, à son engagement d'étudiant. Il invitait les personnes présentes, et les journalistes, à l'accompagner devant la cathédrale.

De belles images en perspective : la façade gothique, le jeune prodige, un scientifique de vingt-cinq ans, photogénique en plus, engagé, avec un vrai sens social, environnemental, et qui – même si on n'avait pas tout compris – prétendait que le miel contenait un des secrets de la régénération des cellules du corps humain : un beau sujet pour le 20 heures.

Il chercha à nouveau la femme brune. La foule, agitée de mouvements de houle, venait de l'aspirer. Il crut la reconnaître. Il aurait voulu saisir l'occasion pour lui parler. Il ne la retrouva pas. Les caméras s'étaient éloignées de sa petite personne et étaient toutes braquées sur le géant de pierre.

Profitant du mouvement, elle avait dû tenter de s'approcher. Elle ne devait pas s'intéresser tant que cela à lui.

Un groupe se battait avec un des plus gros morceaux de la bâche, qui, en tombant, les avait plaqués au sol. La clameur était redevenue très forte.

À côté du jeune homme, un vieux monsieur bien mis, à fine moustache, qu'il n'avait pas vu arriver, une canne à pommeau d'argent à la main, commençait à parler :

« C'est toi, Beautrelet ?

— Paul Beautrelet, oui monsieur.

— Je t'appellerai Isidore, si tu veux bien. Isidore Beautrelet. Je préfère. J'y suis habitué.

— C'était mon arrière-grand-père. Comment savez-vous ?

— Crebleu, je l'ai bien connu. Il était notaire à Étretat, à la fin de sa vie.

— Mais enfin, c'est ridicule, qui êtes-vous ? Mon arrière-grand-père Beautrelet est mort en 1929, ruiné par le krach, ça a marqué la famille…

— S'il avait accepté d'entrer dans ma bande, il serait mort millionnaire. Je l'ai connu, il sortait à peine de Janson-de-Sailly, bon lycée, mais il n'était pas tout à fait aussi brillant que toi. Il m'aimait bien, finalement. Il avait eu son heure de gloire, tu sais, grâce à moi, ou plutôt à mon biographe, Maurice…

— Vous prétendez être…

— Et pourquoi pas ? Et je te le prouve à l'instant puisque je viens de voler, sous les yeux de tous, la façade de la cathédrale de Strasbourg.

— Arsène Lupin ! »

*

Le petit homme eut un sourire, redressa ses épaules – il n'était plus si petit – et fixa celui qu'il venait de rebaptiser Isidore :

« Tu as toutes les télévisions pour toi aujourd'hui. Mon amie Claire Chazal t'attend en duplex à 20 h 27, ne sois pas en retard au maquillage. Tu croyais que tu allais lui parler de tes recherches en biologie, je viens de te cambrioler aussi ton sujet. Mais, beau prince, je te laisse la vedette. Tu vas devoir raconter ce qui vient de se passer. Les télévisions ont toutes

des images, superbes, grandioses, flamboyantes, la
lumière était parfaite quand la bâche est tombée, un
grand rideau de scène.

— Vous êtes cinglé.

— Je te laisse annoncer au monde qu'Arsène
Lupin est de retour. Ce n'est pas plus invraisemblable
comme histoire que ce que tu viens de raconter pour
gagner ton prix à propos du principe de régénération
des cellules à partir de cette molécule présente dans le
miel, que tu prétends avoir été le premier à isoler. Tu
me feras la véritable démonstration un autre jour. Je
te laisse à tes fans et à tes admiratrices, j'en ai vu une
ou deux que je te volerai peut-être aussi. Il n'aurait
pas été normal que l'arrière-petit-fils de celui qui a
percé le mystère de l'Aiguille creuse ne soit pas salué,
à l'occasion de son premier pas vers le prix Nobel,
par moi, son bon oncle Arsène ! Toujours en forme,
malgré son âge digne des patriarches de la Bible
sculptés sur ce portail ! Tous les cent ans, je m'invente
une nouvelle vie, avec enfance, jeunesse, maturité…

— Lupin est un personnage de roman.

— C'est comme les comètes : en 1915 j'étais
Lupin déjà et je prenais la tête de 10 000 Berbères,
pour la France, dans le désert du Sud marocain.
En 1815 on m'appelait Vidocq et j'avais dans ma
bande deux garnements de dix-sept ans qui s'ap-
pelaient Balzac et Michelet. En 1715 j'étais tour à
tour Cartouche, le bandit au grand cœur, et Philippe
d'Orléans, régent de France, j'ai donné à ce radin
de John Law l'idée du papier-monnaie. En 1615,
par pure générosité, je m'embarquais sous le nom

d'Adrien Lyévin avec Samuel de Champlain pour l'aider à bâtir la Nouvelle-France. En 1515, je me faisais appeler Artus de Limésy, aux côtés de Bayard, le chevalier sans peur mais sans malice, et c'est moi qui ai parlé à François Ier d'un certain Léonard de Vinci. En 1415, à Azincourt, j'étais Adhéaume de Lannoy et je faisais voler par mon valet Ysambart l'épée et le sceau du roi de France. Tu veux que je remonte comme ça jusqu'à Tibère, qui m'a couvert d'or quand le petit Jésus avait quinze ans ? J'ai été le prince Sernine, Raoul d'Andrésy, Louis Valméras, don Luis Perenna, grand d'Espagne, Albert Lebrun, président de la République, Marcel Duchamp... Je suis aussi de temps à autre Guy-Manuel de Homem-Christo, tu sais, le plus célèbre des Daft Punk, je suis Bansky, la star du street art dont les œuvres valent des millions et dont nul n'a jamais vu le visage, je publie de loin en loin un livre, pour mon plaisir, sous le nom de Thomas Pynchon... On ne me reconnaît jamais à temps. Ils sont bruyants tes amis militants, on ne s'entend plus. Pas grandiose, dis-moi, la sculpture de la cathédrale de Strasbourg. J'ai été un peu déçu hier, quand j'ai fait ouvrir les colis.

— Lupin est mort depuis des années. Je n'ai pas connu mon arrière-grand-père. Vous me faites marcher. Il doit y avoir une explication, on était en train de la restaurer, cette façade...

— Je suis en pleine forme, te dis-je, mon petit Isidore, toutes les preuves de ce que je te raconte sont accessibles, personne n'a jamais eu l'idée de les chercher : ouvre Balzac, il se trouve que je suis

Amaury Lupin dans *La Comédie humaine*, lis le *Journal* de Michelet, il est venu me voir à l'Aiguille creuse, il adorait Étretat… Tu veux que je t'emmène à Carcassonne, voir la chapelle Saint-Lupin, à la cathédrale ? Regarde-moi, j'existe. Nous allons vivre de grandes aventures ensemble, toi et moi, tu verras, ouvre les yeux. »

Le vieillard arracha sa petite moustache : redressé, il mesurait un bon mètre quatre-vingt-cinq, il sauta sur place avec l'aisance d'un gymnaste devant un cheval d'arçon, passa de l'autre côté du rouleau de toile plastifiée qui avait été la plus belle des publicités pour l'électronique allemande, il fit tourner sa canne entre ses doigts en imitant Charlie Chaplin, esquissa trois entrechats, et il se faufila dans la foule comme un danseur.

En une seconde, Beautrelet eut le temps de voir la femme en noir qui s'éloignait, dans la même direction que Lupin.

« Lupin », voilà qu'il lui donnait ce nom, absurde…

Trop tard. Il les avait perdus tous les deux. Depuis quelques heures, sa vie était devenue un rêve.

*

Le soir même, dans les locaux de France 3 Alsace, juste avant le duplex avec le journal de France 2, Paul Beautrelet – que nul n'appelait encore Isidore, son nouveau surnom sous lequel il devait devenir, peu de temps après, si célèbre – donna une grande interview.

On n'allait pas lui ravir comme cela son succès international, l'occasion de faire entendre le sujet de ses recherches aux grands laboratoires qui, de Harvard à l'Institut Karolinska de Stockholm, étaient capables de les financer.

Il avait son idée, si cet homme était Lupin, celui à qui il vouait un culte depuis son enfance, celui dont la tradition de sa famille faisait un héros, il n'y avait qu'un moyen de l'abattre : le ridicule. Cela aussi prendrait trois minutes, autant que pour résumer sa thèse, pas une de plus.

Dans le studio, l'étudiant Beautrelet s'était recoiffé et avait l'air d'un premier communiant. On diffusa d'abord les trois minutes où, en faisant rire le public avec l'imitation d'une petite abeille venue butiner un pot de miel, il avait su faire comprendre qu'il était sur la piste de la fameuse molécule anti-vieillissement, un des graals de l'humanité.

Ensuite, la journaliste, une jolie blonde aux joues rondes qui portait un nom difficile à orthographier tant il était alsacien, lui lut le communiqué de presse qu'elle venait de recevoir :

«Les sculptures de la cathédrale de Strasbourg n'ont pas à servir à la publicité de l'industrie allemande. Je les rendrai à la France à condition que la nouvelle bâche qui recouvrira le chantier porte simplement la reproduction de ma carte de visite : *Arsène Lupin, gentleman-cambrioleur.*»

On diffusa les images. Pouvait-il expliquer ce qui relevait de la plus haute prestidigitation ?

« Pour comprendre ce qui s'est passé, il suffit d'appliquer les méthodes de déduction que j'ai utilisées pour ma thèse. Les voleurs viennent d'accomplir un acte absurde. Signer ce forfait du nom d'Arsène Lupin témoigne d'une naïveté touchante. Les sculptures, voyons, sont ce qu'il y a de moins intéressant dans la façade de la cathédrale de Strasbourg ! C'est un peu comme voler les faux diamants du Collier de la Reine, exposé au château de Versailles, qui sont de la verroterie, et laisser dans la vitrine la monture qui, elle, est authentique. Les sculptures de cet édifice ont été remplacées deux fois, au moins, une fois après la Révolution française, une autre fois sous Guillaume II, le Kaiser, qui voulait faire de Strasbourg une des grandes capitales de son Reich.

— Vous êtes aussi spécialiste de sculptures ? demanda la journaliste.

— Non, mais en deux secondes sur Wikipedia, n'importe qui trouve toutes les informations. La sculpture de la cathédrale de Strasbourg est pour l'essentiel du XIXe siècle. Il y a même une statue un peu lourdingue qui représente Louis XIV à cheval, sculptée à la manière de 1840. Puis toutes les autres statues sont allemandes, et plus tardives, du coup elles sont mieux faites et on les croirait facilement du Moyen Âge. Comment dit-on Viollet-le-Duc en allemand ? Bodo Ebhardt. L'architecte du Kaiser. J'imagine que le voleur doit être un de ses rares admirateurs, parce que vraiment, s'il était un vrai connaisseur de sculpture médiévale, il se serait intéressé au portail d'Amiens ou à celui de Saint-Trophime d'Arles. Il aurait fait découper la façade de la petite église Saint-Pierre de Carennac, je la connais, c'est sublime, mais pas Strasbourg. Ces sculptures sont invendables, si on les faisait passer aux enchères, elles ne vaudraient pas tripette. Elles fêteront leur millénaire dans neuf cents ans, c'est moi qui vous le dis…»

La journaliste ne lui laissa pas le temps de sourire : «Mais comment a-t-on pu les voler, en plein jour, sur la place la plus fréquentée de la ville ?

— Qui vous dit qu'elles ont disparu aujourd'hui ? J'imagine que si elles ont été dérobées si facilement, c'est parce que le service des Monuments historiques était en train de les nettoyer ou de remplacer celles que la pollution a trop dégradées. Je peux parier qu'elles n'étaient plus sur place depuis longtemps. Les restaurateurs qui ont travaillé ces derniers mois ont dû les sortir une par une et les entreposer dans un atelier. Le grès rose, ça s'use vite. La cathédrale est en permanence en travaux, l'échafaudage fait le tour en vingt ans, on finit par la tour unique et sa flèche. Chaque pierre a déjà été changée dix ou douze fois. C'est l'histoire du couteau dont on a refait la lame, puis le manche, puis la lame, puis le manche. C'est toujours le couteau de chasse de saint Hubert mais celui qui le volerait en croyant prendre une relique du Moyen Âge serait un grand naïf. C'est un vol ridicule.»

Il évoqua son arrière-grand-père, cet Isidore Beautrelet que Maurice Leblanc avait transformé en héros de son roman *L'Aiguille creuse*, et qui avait défié Arsène Lupin au point de mettre en danger le célèbre gentleman-cambrioleur.

Il sourit, regarda la caméra et affirma :

« Dans ma famille, on aime se battre avec les voleurs, et je peux vous dire que celui-ci est un débutant, même s'il a un certain goût pour le spectacle. Un débutant qui est bien loin derrière Lupin, le prince des cambrioleurs. Ce n'est même pas un bon imitateur. Du coup j'aurai moins de mérite que mon arrière-grand-père : je vous certifie que, dès demain, la police aura retrouvé les statues. »

*

La nuit venue, sur la place venteuse, au milieu des projecteurs jaunes qui donnaient à l'immense masse de l'édifice une couleur de lingot d'or, le jeune Paul erra longtemps. Il regardait. Il pensait. Il se demandait comment « Lupin » allait répondre. L'homme avait voulu faire de lui son porte-parole, il avait dû être déçu.

Les ombres des pinacles avaient l'air de fantômes, et ce fut pour lui comme si ses terreurs d'enfant revenaient. Les manifestants avaient disparu, la police avait veillé à ce que le parvis ne se transforme pas en campement, et tout avait été nettoyé, comme s'il ne s'était rien passé. La bâche en morceaux avait été évacuée. Quelques badauds venaient constater par eux-mêmes le vol des sculptures.

Son père lui parlait toujours de Lupin, comme d'un ami un peu terrifiant de la famille, dont on vénérait la mémoire, de génération en génération. Leur maison de campagne d'Étretat n'était pas loin du Clos Lupin, la demeure mystérieuse de Maurice Leblanc. Tout le monde savait, au pays, qu'à la fin de sa vie le biographe du gentleman-cambrioleur avait fait poser des verrous sur toutes les portes parce qu'il avait peur que son héros ne vienne lui réclamer des comptes. Tout le monde disait que Leblanc était devenu fou, que le personnage des romans avait fini par accaparer la raison de leur auteur.

Le petit Paul, enfant, s'était toujours demandé si Leblanc vieillissant n'avait pas raison, et si Lupin n'avait pas existé. « Pour de vrai. »

Il avait tout lu, deux ou trois fois chacune des aventures, vers quinze ans. Il avait tremblé devant la comtesse de Cagliostro, l'éternelle rivale, il avait été ému par le mariage mondain de l'escroc de haut vol devenu presque gentilhomme avec Angélique de Sarzeau-Vendôme, il avait pleuré en lisant la scène de la mort de Raymonde de Saint-Véran, la plus aimée, sur la plage, dans les bras d'Arsène, un peu snob dans ses choix de fiancées, mais toujours très amoureux – et ce passage, Beautrelet le relisait parfois pour lui seul, à haute voix. Dix ans plus tard, il pleurait toujours avec les mêmes larmes de petit garçon.

Que Lupin revienne, s'adresse à lui, soit le témoin de ses succès, du coup, cela ne l'étonnait pas. Au fond de lui-même, il en avait toujours rêvé. Lui le bon élève, l'étudiant doué qui disait, avec un peu de suffisance, à ses amis d'université : « Vous, vous êtes

des chercheurs, moi, vous verrez, je suis un trou-
veur», était prêt pour combattre un fantôme.

Il avait toujours regretté qu'après l'affaire de l'Aiguille creuse, vers 1904, son arrière-grand-père n'eût
pas poursuivi d'autres enquêtes, laissant, trop beau
joueur, la première place à Lupin – pour se conten-
ter de sa jolie carrière de notaire normand. S'il avait
été à sa place, lui, il aurait combattu, et Lupin aurait
trouvé un adversaire à sa mesure. Quand il se parlait
à lui-même, depuis qu'il avait l'âge de raison, le petit
Paul Beautrelet, qui regrettait de n'avoir pas vécu
cent ans plus tôt, mais qui en même temps s'était juré
qu'il marquerait le xxie siècle, se baptisait toujours,
pour rire, de ce prénom d'Isidore – qui, de droit, lui
appartenait.

*

Le lendemain matin, alors que Beautrelet prenait
son petit déjeuner à l'Hôtel Suisse, à côté du vénérable palais Rohan, avec ses trois musées dont il
avait prévu la visite, la serveuse alsacienne, qui lui
avait apporté un petit kouglof et du cake aux cerises,
vint avec *Libération*, *Le Figaro* et *Les Dernières
Nouvelles d'Alsace*.

Sa mère avait essayé de le joindre, sans laisser
de message. Elle n'aime pas parler aux «voix en
conserve». Il refit le numéro, laissa sonner vingt fois,
pas de réponse. Elle avait dû sortir au marché d'Étretat, il la rappellerait dans une heure.

Il voulait partager avec elle son triomphe d'hier soir. Son ancienne petite amie, Agathe, apparaissait « en ligne » sur Skype, elle n'avait même pas jugé bon d'appeler, cela aurait été gentil – entre eux, désormais, c'était comme s'ils ne s'étaient jamais connus.

Il attendit quand même, c'était à elle de le féliciter, pas à lui de l'appeler pour frimer. Elle n'en fit rien. Agacé, il referma le réseau de communication vidéo qui leur plaisait tant à l'époque où ils étaient amoureux et passaient des nuits à « skyper ».

Dans *Le Figaro*, le conservateur des Monuments historiques de la région, effondré, se livrait à un point rapide : Beautrelet avait deviné juste. Les pierres n'avaient pas été volées sur la cathédrale. Mais elles avaient disparu. La plupart d'entre elles avaient été découpées et mises à l'abri, c'est ce que permettait et masquait la fameuse bâche, qui avait toute son utilité. Grâce à elle, et au sponsor, on sécurisait le chantier, on masquait les travaux, et on pouvait les financer. Toutes les pierres malades avaient été démontées, descendues, cela concernait la plus grande partie des sculptures. Elles étaient en train d'être copiées dans un entrepôt secret, du côté du Haut-Kœnigsbourg, là où la pierre a la bonne couleur. Cet entrepôt avait été fracturé la veille, à l'heure où la bâche de la cathédrale était arrachée. Un cambriolage avait donc bien été commis, mais pas là où tout le monde pensait qu'il avait eu lieu – et cela, concluait le journaliste, c'était peut-être le plus fort : opérant en parfaite impunité, le voleur avait ensuite, comme par jeu,

réuni un maximum de conditions pour rendre son lar-
cin le plus spectaculaire possible. À la question de la
valeur des pièces emportées, le conservateur éludait :
«Il s'agissait, pour la quasi-totalité, de sculptures de
remplacement, datant du XIXᵉ siècle.»

Beautrelet alluma sa tablette iPad, avec une pensée
pour son professeur de philo de terminale qui prétendait citer Hegel en riant : la consultation de la tablette
iPad est la prière du matin de l'homme moderne. Les
journaux n'apportent que les nouvelles de la veille ;
sur Twitter, c'était de l'actualité fraîche comme de la
crème.

L'image, sur l'écran tactile, était sidérante. Les
statues roses de Strasbourg étaient partout. Sur fond
de façades d'immeubles, alignées comme un batail-
lon de soldats de plomb au bord d'un coffre à jouets,
elles entouraient une station de métro. Beautrelet
agrandit l'image. Les saintes, les prophètes, les
anges, les archanges, les séraphins, les rois de l'Ancien Testament, c'était un chaos composé de toutes
les figures du paradis dans l'enfer de la circulation.
L'homme qui se faisait appeler Lupin avait au moins
autant d'humour que son modèle : il avait rendu les
sculptures de la cathédrale de Strasbourg, mais à
Strasbourg-Saint-Denis, en les disposant comme
une haie d'honneur autour de la station de métro
parisienne.

Heureusement qu'il ne les avait pas ajoutées, par
exemple, à la façade du Duomo de Milan – dans la
surpopulation de statues qui fait la renommée de
cette belle pâtisserie italienne, on ne les aurait jamais

retrouvées, se dit Beautrelet, amusé, qui tartinait de la confiture de framboises sur du pain aux raisins. Lupin gagnait une petite manche dans le match : il annonçait lui-même où se trouvaient les pierres volées, pour griller la politesse au petit Paul qui avait annoncé que les statues seraient retrouvées par la police dans les vingt-quatre heures. Bah, pas bien grave... C'est sympathique de se lancer dans un bras de fer avec quelqu'un qui a un si bon sens des médias et des images frappantes. Il faut absolument qu'il l'utilise pour mettre en avant sa découverte : en réalité, cet adversaire surgi de nulle part, mais au bon moment, c'était sa chance. Il fallait en faire son agent !

Il se connecta du coup à une chaîne d'information. Deux hommes étaient à l'image, il les reconnut tout de suite : les plus ringards des détectives britanniques. Cet Herlock Sholmès dont la BBC tentait de faire un héros, cocaïnomane, faux savant, même pas capable de s'afficher lui-même sur Facebook ou ailleurs, et demandant à un médecin pataud et dépressif, vétéran d'Afghanistan un peu paumé, le docteur Watson, de raconter ses médiocres enquêtes sur son « blog ». Un blog, comme en 2005 ! Que faisaient-ils tous les deux à Paris ? Quel était leur lien avec l'affaire des statues ? Qui avait appelé à l'aide ces deux charlots ? En pleine mode des cigarettes électroniques, ils cherchent encore des traces de cendres de tabac sur les scènes de crime, ils sont drôles...

Avec son accent paysan du pays de Galles, John Watson parlait à la télévision, heureux d'avoir pour une fois les caméras braquées sur lui. Il expliquait d'un air docte que son ami, «le plus célèbre détective du monde», et lui-même allaient se rendre sans tarder à Saint-Denis. Le raisonnement qu'il développait était implacable : il s'agit d'un voleur qui s'intéresse à l'art du Moyen Âge, et en particulier à des monuments en restauration. Il a volé Strasbourg, et restitué les œuvres à Strasbourg-Saint-Denis, il allait donc voler, en toute logique, les statues du portail de la basilique de Saint-Denis, la nécropole des rois de France, un des plus illustres édifices du gothique français. Watson et Sholmès avaient réservé deux chambres à l'hôtel Louise-Michel, à deux pas de la cathédrale au toit vert, et allaient attendre de pied ferme. Lupin, c'était mathématique, allait s'attaquer au tympan central de Saint-Denis ou, peut-être même, aux sculptures de la nef. La préfecture de police, suivant les conseils du détective britannique, avait envoyé vingt hommes pour garder le site, dont les lourdes portes avaient été aussitôt fermées. Beautrelet éclata de rire.

Dehors, devant la belle ordonnance classique de la façade du palais Rohan, grosse commode Louis XV posée à côté de l'immense vaisseau gothique, Beautrelet resta un instant à réfléchir. Il avait un avantage sur Herlock Sholmès et cet avantage était à double tranchant car c'était l'adversaire qui le lui avait donné. Il prétendait s'appeler Lupin. Pour Sholmès, ce n'était sans doute qu'un nom, synonyme de prince des voleurs, pas grand-chose de plus. Pour

Beautrelet, c'est un pan entier de sa mythologie familiale. Depuis l'affaire de l'Aiguille creuse, tout le monde lit Maurice Leblanc dans sa famille, il connaît chacune des aventures qui composent le corpus d'Arsène – cela, l'homme qu'il a vu le sait.

Ainsi, ce palais fut celui des cardinaux de Rohan, les Rohan-Soubise et leurs cousins les Rohan-Guéméné : ce nom historique, Beautrelet le connaît depuis l'adolescence. Il se trouve dans la première aventure du petit Arsène, alors qu'il n'était qu'un enfant, l'affaire du Collier de la Reine – à laquelle il a fait allusion hier à la télévision.

Monseigneur de Rohan, archevêque de Strasbourg, grand aumônier de France, amoureux transi de la reine Marie-Antoinette, avait habité ce palais. Une de ses arrière-petites-nièces, la princesse de Dreux-Soubise, était cette grande dame dédaigneuse qui avait accueilli par charité chrétienne une de ses nièces, pauvre et « déshonorée », Henriette d'Andrésy, enceinte d'un professeur de gymnastique avantageux nommé Théophraste Lupin.

Le petit Arsène, métis social, avait grandi dans un hôtel de Rohan, mais à Paris. Il avait dérobé, à six ans, en entrant par une étroite fenêtre, le précieux collier de diamants, pour venger sa mère – et voilà qu'il choisissait la place de l'hôtel de Rohan-Soubise, à Strasbourg, le palais du cardinal, et sa cathédrale, pour entrer en scène. Ce détail, qui accréditait son identité chimérique, il fallait être un expert en lupineries, comme l'était le jeune biologiste, pour s'en rendre compte. C'était pour des raisons d'histoire familiale que Lupin avait choisi Strasbourg. Mais pourquoi en cette journée, où un jeune chercheur content d'exposer au monde son sujet de recherches, venait au Conseil de l'Europe pour la première fois et pour y connaître son premier triomphe ? Paul – alias Isidore – était piqué. Il songeait à ses chères abeilles, au miel, et au grand secret qu'il était tout près de découvrir. Se pourrait-il que ce soit cela, aussi, qui intéresse le prince des voleurs ?

Il entra. Deux clochards se disputaient devant la porte latérale. Dans la nef fraîche, parmi les gigantesques piliers, il repéra tout de suite la fameuse horloge astronomique, le plus bel instrument de mesure du temps de tout l'Occident. La femme brune était là, en blouson noir, devant lui, et elle souriait.

« Je savais que votre curiosité scientifique vous conduirait ici ce matin, monsieur Beautrelet, je vous attendais. Vous aimez les systèmes complexes. Je m'appelle Joséphine.

— Isi… euh… Paul.

— Je vous connais, j'ai assisté à votre prestation. C'était brillant. »

Il la trouvait belle avec son sourire à la Fanny Ardant, elle le regardait. Il ne savait pas trop s'il devait lui parler de biologie moléculaire. Elle portait des bottes, un chemisier de soie violette, un sac à main de grand couturier, une chaîne d'or qui masquait son décolleté :

« Vous avez vu ces étoiles sur l'horloge astronomique, ce décor, la lune, le soleil, l'univers entier est ici en modèle réduit. À midi, tout le monde se précipite, parce que le coq chante et que les apôtres défilent entre les deux petites fenêtres de la partie haute, comme dans un théâtre de marionnettes, une autre image de notre monde. Vous savez qui a construit cela ?

— Un horloger du XIXe siècle, je crois…

— Oui, mais à la place d'un mécanisme qui existait depuis la fin du Moyen Âge. Le premier coq articulé est dans un musée de la ville, c'est le plus ancien automate du monde. La terre entière est venue s'extasier devant cette horloge qui donne les phases de la lune, le solstice, la date de Pâques. La légende veut qu'on ait crevé les yeux du premier horloger pour qu'il ne reproduise pas ailleurs son mécanisme. On dit qu'il venait s'asseoir là où nous sommes, tous les jours, pour entendre le bruit de son horloge qu'il fixait de ses deux billes rouges.

— Horrible.

— C'est une pure invention. L'horloger qui a œuvré au XIXe siècle, lui, est devenu célèbre. Sa merveille a aussi d'autres fonctions, plus secrètes. Je pense qu'un esprit comme vous devrait arriver sans peine à comprendre à quoi elle sert aussi…

— C'est une devinette ? Elle calcule les éclipses de soleil et de lune et le passage de la comète de Halley, rien de bien sorcier. Pourquoi me demandez-vous cela ? Qui êtes-vous ?

— Je vous l'ai dit. Je suis Joséphine. Strasbourg est la capitale de l'occultisme depuis la Renaissance, c'est ici que viennent les mages, tous ceux qui parlent aux esprits. Le second horloger qui a fabriqué cela était quelqu'un de ma famille... J'ai ses carnets.

— J'en suis heureux, ce doit être une fierté. Je vous imaginais en effet un peu magicienne, je vous ai vue vous volatiliser, hier, dans la foule...»

Peut-on avoir envie d'embrasser une femme dans une cathédrale? Beautrelet était charmé, captif, ensorcelé. Il avait une enquête à mener. Il devait retrouver Lupin. Il devait savoir si ce pantin de Sholmès allait aboutir à quelque chose. Il devait rentrer à Paris et rejoindre son laboratoire. Il n'arrivait même plus à parler. Elle le retenait par une sorte de magnétisme qui lui avait fait oublier sa vie, ses recherches, ses projets... Que lui voulait cette femme? Peu importe. Lui, il la voulait.

Il n'allait pas attendre que le coq de l'horloge chante trois fois et qu'il se renie lui-même, il devait l'inviter à déjeuner, lui proposer d'aller se promener, lui demander de lui faire découvrir cette ville mystérieuse et sombre. Il n'osa même pas. Il n'eut pas le temps. Elle lui avait pris la main.

Beautrelet frémit quand il sentit qu'elle glissait dans ses doigts ce qu'il prit d'abord pour un domino un peu gros, ou un calot de verre comme les enfants en ont dans leurs sacs de billes.

«Regarde. C'est l'Argyle Cardinal, sorti il y a six mois des mines d'Argyle en Australie, là où on trouve les diamants roses. Celui-ci est un bon gros caillou, un diamant rouge, d'un rouge très intense, comme il n'en existe que très peu. 2,1 carats. Regarde-le dans la lumière.»

À cet instant, comme midi approchait, deux ou trois petits groupes s'étaient massés devant l'horloge. Le coq allait chanter trois fois.

Le jeune Beautrelet, comme s'il utilisait la loupe d'émeraude que Néron brandissait pour mieux voir les gladiateurs, dirigea le diamant dans la lumière, dans la direction du plus lumineux des vitraux. Il ne connaissait pas grand-chose à la gemmologie, mais assez pour savoir qu'un diamant rouge peut se négocier pour deux millions de dollars le carat.

«C'est un cadeau? Nous nous connaissons à peine!»

Il éclata de rire.

«Je dirige une société multinationale, que j'ai fondée il y a quelques années. Nous possédons plusieurs mines de pierres précieuses, en Australie et en Afrique, le socle de notre activité. Mais mon intérêt principal aujourd'hui, c'est ma fondation pour la recherche scientifique. Je finance un laboratoire très performant. Je suis venue vous proposer un contrat. J'ai enquêté sur vous.

— J'écoute votre proposition, Joséphine.

— Tu travailles pour moi pendant an. Dans un an, le diamant rouge sera vendu, tu auras le budget nécessaire pour développer ta molécule dont j'aurai l'exclusivité. Je finance tout, je commercialise.»

Elle était passée au tutoiement, comme le prétendu Lupin l'avait fait la veille.

«Et moi?

— À toi la seule chose qui compte, ce qu'exige ton génie, la gloire. Le Nobel dans trois ans. Le Collège de France. L'Académie des sciences. Et si tu veux faire plaisir à ta petite amie, à tes parents, leur offrir des bijoux, des châteaux et des grosses bagnoles, je te donne bien sûr un pourcentage des ventes – même si je sais que cela ne compte pas beaucoup pour une âme pure. Je suis la première, j'espère, mais tu vas avoir des centaines de propositions après ton discours d'hier. Tu as un mois pour réfléchir. »

Le bruit du mécanisme qui va se mettre en marche commença à se faire entendre. Le frisson d'une dizaine de ressorts qui se tendent, et des roues dentées qui commencent à tourner.

« Tu vas voir dans quelques secondes une petite Vénus sculptée dans sa conque, c'est l'étoile du berger, elle va apparaître : elle sort de sa niche une fois par mois, quand la lune est pleine, je vais placer le Cardinal dans le giron de la déesse. Dans un mois, je serai ici, et si tu acceptes de faire affaire avec moi, l'Argyle Cardinal ressortira de sa cachette. Il sera mis sur le marché. Ensuite on ira découvrir ce qui sera ton labo désormais, dans les Vosges. J'ai choisi un lieu inaccessible et très beau qui te plaira, j'espère. Ce caillou rouge sera le symbole de notre union. Un vrai pacte de diamantaire : rien d'écrit. Tout repose, avec moi, sur la parole donnée. »

Alors, le coq chanta. Tout le monde regarda. Joséphine se leva, la main droite tendue. Personne ne surveillait. La niche qui était face à elle ouvrit ses volets de bois doré, Vénus apparut, chastement vêtue de ses cheveux dénoués. Joséphine ouvrit la main. Cela dura moins de quinze secondes. Les volets s'étaient refermés. Le diamant venait de disparaître dans les flots peints en trompe l'œil. Les apôtres, au sommet, continuaient leur ronde, imperturbables, sur leurs petits chariots d'or.

Beautrelet la regardait : elle était séduisante comme la Providence, elle allait financer ses recherches, elle avait la beauté, l'intelligence, la poésie, elle serait celle qui ferait son bonheur. Elle était fantasque et en même temps directe et pragmatique, comme il aime. Paul avait toujours détesté les filles nunuches et mignonnettes, il aimait les femmes décidées. Son prénom était désuet et charmant. Il n'avait en tête que l'impératrice Joséphine, qui avait le même genre de qualités, et il se sentait aussi irrésistible que le général Bonaparte. Elle serait sa bonne étoile.

*

À cet instant, les deux clochards qu'il avait entendus se battre s'étaient placés à côté d'eux. Ils s'approchaient comme s'ils voulaient leur parler. Ce qui mit Beautrelet sur ses gardes, ce fut l'odeur. Au lieu d'un sympathique fumet de chiffonnier habitué à dormir dehors, l'homme qui venait de prendre place à sa gauche, mal rasé, habillé d'une vieille veste et d'un pantalon de treillis, sentait l'eau de Cologne n° 89 de chez Floris, reconnaissable entre toutes, celle qu'utilise le prince de Galles, et cela lui sembla une faute «élémentaire».

«Mister Sholmès, je présume? Les télévisions laissent croire que vous êtes à Saint-Denis. Et j'imagine que ce monsieur est l'excellent docteur Watson. Il va mieux depuis l'Afghanistan? Je ne sais pas si vous connaissez madame, souffrez que je vous la présente… Joséphine…

— Joséphine Balsamo, Strasbourgeoise. Ravie de faire la connaissance des deux fameux limiers dont la BBC vante les exploits. Que pouvons-nous faire pour vous aider? Vous cherchez ce petit peuple de statues que le joueur de flûte de Hamelin a entraîné avec lui… On a annoncé sur Direct 8 qu'elles avaient quitté la bouche de métro qu'elles ornaient depuis hier pour trouver refuge dans les réserves du Louvre, en attendant qu'un camion sous escorte les reconduise ici. Asseyez-vous, vous serez aux premières loges pour assister à leur retour.»

Pauvre Herlock, il croit que son cerveau va vite, il va voir ce qu'est un étudiant français. Visiblement les deux hommes ne se sont pas connectés aux chaînes d'info en continu pendant qu'ils étaient dans le train : à voir leurs mines étonnées, ils ne savent rien du retour des sculptures. Au concours du plus surpris, qui aurait gagné? Sholmès et Watson, démasqués comme des bleus par un gamin? Beautrelet qui, en entendant le nom de Balsamo, venait de blêmir? Joséphine, que les deux faux clochards encadraient comme s'ils venaient l'arrêter – et qui se moquait d'eux ouvertement, avec un sourire de Joconde?

La voici donc, Joséphine Balsamo, la Cagliostro, fille de ce Joseph Balsamo, soi-disant «comte de Cagliostro», mage, alchimiste, physicien, dernier des grands astrologues initiés et pionnier des expériences de magnétisme, hypnotiseur à ses moments perdus, Strasbourgeois, aventurier du temps de Marie-Antoinette – celui dont Alexandre Dumas, bien renseigné, avait donné la vraie biographie déguisée en roman ! C'était elle ! Cette femme sans âge, qui avait traversé les époques, celle avec qui Lupin, son rival, avait eu une liaison passionnée.

Lupin immortel ? Joséphine Balsamo vivante ? On avait dit, au début du xxᵉ siècle, que Lupin avait séduit la Cagliostro pour lui voler l'élixir de son père, cela expliquerait cette survivance incroyable des deux… Beautrelet préférait s'arrêter là. Il se refusait à imaginer un Cagliostro en 1840 concevant la nouvelle horloge astronomique. Ce roman, on ne le lui ferait pas avaler. Retour sur terre !

Il avait affaire à deux imposteurs, alliés peut-être l'un avec l'autre, qui voulaient le mettre sous contrat pour s'enrichir avec ses découvertes. Deux êtres de mystère et de séduction, en deux jours, face à lui – il fallait qu'il résiste, qu'il se barricade. Il regardait Joséphine. Elle observait à nouveau l'immense mécanisme.

Le bedeau enlevait les barrières de bois qui entouraient la zone de l'horloge. Fin de l'accès payant pour le spectacle de midi. Les touristes sortaient.

L'orgue jouait une cantate de Bach. *Jésus que ma joie demeure*, ce n'était pas vraiment le sujet… Dans

un roman, ce serait Lupin l'organiste : il fallait chercher ailleurs. Il regarda le cadran, les aiguilles. Cette
merveille contenait depuis quatre minutes une pierre
d'exception, mais elle devait avoir un autre rôle à
jouer.

Watson se tourna vers Beautrelet :

« Vous êtes Lupin, dès les premières minutes à la
BBC, mon honorable ami en a eu non pas l'intuition
mais la certitude. »

Une nouvelle fois, Beautrelet éclata de rire.
Joséphine, cristalline, explosa elle aussi une octave
plus haut. Non seulement l'Anglais croyait en Lupin,
mais il pensait que ce pouvait être lui, un étudiant de
vingt-cinq ans…

Herlock, qui ne regardait pas en face, et qui n'avait
pas parlé, marmonna quelque chose, sans doute pour
faire taire son compagnon qui en disait trop. Il s'approcha d'un des cadrans de l'horloge, où s'affichait
le saint du jour, et lut « Dionys », saint Denis. On
était le 9 octobre. C'était le calendrier liturgique du
XIXᵉ siècle, puisque sur le calendrier mis au point par
le clergé actuel, très soucieux de n'oublier aucune bre-
bis égarée, les noms des saints étaient plus modernes :
dans la salle de l'hôtel Suisse, Beautrelet avait lu « Ste
Jessica ». Le lien avec « Strasbourg-Saint-Denis » était
clair : Lupin n'avait pas voulu indiquer deux lieux,
mais un, la cathédrale, et une date, ce jour. Ils étaient
tous au bon endroit. Mais pourquoi ?

Herlock ouvrit enfin la bouche, faiblement, sans
remuer la lèvre supérieure, plus anglais que jamais,
mais en français :

«Un seul homme a tout vu depuis ce matin, nous avons gardé l'entrée sans interruption. C'est ce bedeau. Il faut qu'il nous parle.»

Sortant un billet de cinquante euros de sa poche, il s'approcha du vieux monsieur qui continuait à ranger les barrières. On n'entendait pas leur conversation. Mais Beautrelet fronça les sourcils en les voyant tous deux s'approcher de l'horloge.

L'horloge astronomique de Strasbourg est le plus complet des garde-temps, une horloge qui a rendu fou Leroy, Vérité, Lepaute et tous les autres maîtres du genre, un mécanisme inusable, précis comme le mouvement des planètes, aussi fiable que la création divine. Paul-Isidore sentait un danger. Il manqua de temps pour y réfléchir davantage.

*

La porte de la cathédrale s'ouvrit avec fracas, et une petite troupe d'adolescents se rua dans la nef, des smartphones et des iPad à la main, mitraillant, cadrant, zoomant, dans un silence total, qui témoignait de leur concentration pour réussir un film qui totaliserait des milliers de «vu» sur la Toile mondiale. Ils entourèrent Herlock et Watson, qui n'essayèrent même pas d'écarter cette nuée de sauterelles.

La nouvelle s'était répandue dans la ville. Les deux Anglais n'avaient sans doute pas été assez discrets à la gare. Leurs visages sont trop connus. Sur Twitter, la nouvelle gazouillait : Sholmès est à Strasbourg, le plus célèbre des enquêteurs britanniques, cet anti-Européen de base, agité de tics, avec un casque sur les oreilles qui diffuse un rap tonitruant, c'est bien lui. Il avait été photographié dans le tramway. Tout le monde voulait un selfie avec le détective.

Profitant de cette diversion, le bedeau tendit la main vers l'horloge, au niveau de la niche fermée qui avait révélé la petite statue de Vénus. Il appliqua ses deux mains de chaque côté et exerça une légère pression. Beautrelet se rua vers lui. Il avait compris. Herlock était bon, mais trop méthodique et trop lent. Il avait eu raison de venir là. Le bedeau, c'était Lupin.

La niche s'ouvrit à nouveau. Vénus fit une brève réapparition, l'homme glissa ses doigts dans la coquille. Le diamant rouge était à lui. Il bondit. Il se mit à courir jusqu'aux grandes portes de la cathédrale. Joséphine avait suivi, Beautrelet aussi, les deux Anglais, empêtrés dans le groupe des jeunes Strasbourgeois, ne pouvaient pas suivre.

Une course de vitesse dans la nef d'une cathédrale, c'est inédit. Lupin n'avait plus rien d'un bedeau bedonnant, il escaladait les chaises de bois clair, renversant tout sur son passage. Il arriva devant une porte ouverte. Personne n'en obstruait l'accès. Il disparut.

Une seconde plus tard, Beautrelet le suivait, puis Joséphine : c'était l'escalier qui montait à la vaste plate-forme sur laquelle était posée la tour, surmontée de la flèche.

Lupin avait une foulée d'athlète, il avalait les marches, Beautrelet soufflait un peu dans le colimaçon, il entendait les bottes de la belle Balsamo quelques mètres derrière lui.

Quand il atteignit la porte, grande ouverte, qui donnait sur la plate-forme haute, à la base de la flèche, Lupin se tenait devant lui. Redressé, chemise ouverte, on devinait un gymnaste très entraîné.

La tempête se levait, comme on en voit de temps à autre dans les forêts d'Alsace. Le vent venu des Vosges, en furie, balayait les pierres. Au Moyen Âge, une légende voulait que le diable, à toute vitesse, tourne ainsi certains jours autour de la maison de Dieu.

Lupin referma la porte de bois bardée de fer que Beautrelet venait de franchir. Le gentleman-cambrioleur, plus fort que le vent, avait rabattu le vantail. Il poussa un loquet, mit la barre. Ils étaient seuls tous les deux, face à face.

Sur la plate-forme, au sommet de la façade, devant la grande tour, se trouve une petite maison, avec une porte et une fenêtre. À cette fenêtre, il y a un géranium rouge, le plus élevé de cette ville qui en compte tant. Lupin s'arrêta un instant :

«Regarde, Beautrelet, ça grouille en bas, ça se bat, ça s'agite, ça subventionne, ça gruge, ça vote, ça manifeste. Tu vois, du haut de cette cathédrale, la France, l'Allemagne, le Luxembourg, la Belgique, Victor Hugo est venu ici, avec Juliette Drouet, il a rêvé ici des États-Unis d'Europe, un monde sans guerres ni frontières où le peuple serait roi. Regardez-le, jeunes gens d'Europe, lui c'est Beautrelet le Jeune, Isidore arrière-petit-fils d'Isidore, il se trouve très fort, il a son petit sourire suffisant, il pense que je ne suis pas Lupin. Il croit que Lupin est mort. On veut croire ça, dans sa famille, parce qu'on a peur. Peur du retour de papa Lupin !

— Vous n'êtes pas Lupin.

— Et pourquoi pas ? Ton arrière-grand-père était un génie. Il aurait pu utiliser son intelligence à devenir mon bras droit, mon ombre, mon ami. Il a eu les chocottes, les jetons, la trouille au ventre. Il est devenu notaire. Il a prétendu que je faisais le mal et que lui devait s'engager, pour toute sa vie, dans la voie du bien. Il a vendu des maisons à colombages à des Parisiens à la retraite ! Et il a raconté à ton grand-père que je m'étais retiré au Clos Lupin, à cultiver mon jardin, mes fraises, mes pavots, et mes lupins bien sûr. Qu'est-ce qui ne va pas ? Tu me dévisages ? Tu reprends ton souffle. Tu te demandes si je ressemble à Lupin. Mais bien sûr que non, Beautrelet, Lupin changeait de visage à chaque instant, et je fais la même chose. On n'a aucune photo de l'Arsène, même celle qui avait été prise à son entrée à la Santé, avant sa légendaire évasion, a disparu des archives de la préfecture de police. »

Il continuait, assis sur l'ancien parapet de pierre ajouré à travers lequel se détachaient les maisons et les rues, sans vertige, à quelques centimètres du vide, s'adressant au milieu des vents en furie à un auditoire imaginaire, un chœur d'admirateurs dont le petit Beautrelet aurait été le coryphée :

« Je me suis rendu invisible pendant soixante-dix ans, Beautrelet, tu n'imagines pas combien c'est difficile pour quelqu'un d'aussi célèbre que moi. Et aujourd'hui, cela le serait plus encore. Tu vois, partout, cet esclavage de la célébrité, même le plus obscur des obscurs, sur cette planète, a une adresse mail, un compte Twitter, un profil Facebook, une double vie, une vie en double, qui le rend célèbre aux yeux des vingt personnes qui comptent pour lui, ou pour les milliers de gogos qui le suivent, comme on dit. Tu vas me dire que tout le monde n'a pas de "profil" sur les réseaux sociaux, tu as raison, mais dans dix ans… Ils en mettent du temps à venir nous rejoindre, elle n'est pourtant pas si difficile à ouvrir, cette porte. Moi, Lupin, je te le prédis, j'ai été un pionnier, un inventeur, et mon ami Andy Warhol, un jour, a retiré sa perruque devant moi en signe d'allégeance. Moi, Lupin, j'ai inventé une chose rare et précieuse, que bientôt tout le monde va vouloir : la discrétion. Moi, Lupin, je suis celui qui prédit à chacun son quart d'heure d'anonymat absolu, ses quinze minutes d'invisibilité mondiale. J'ai été le premier à explorer ce continent qui est la seule terre promise possible aujourd'hui : le domaine des invisibles. Durant toutes ces années où on m'a cru mort, j'étais là, partout, et personne n'a jamais prononcé mon nom : le vol de l'épée pavée de diamants du sacre de Charles X dans la galerie d'Apollon du Louvre, c'était moi, Lupin, le vol de la cocaïne dans les locaux du quai des Orfèvres à la barbe de ce patapouf de Ganimarion, c'était moi, Lupin, le vol du *Wellington* à la National Portrait Gallery de Londres, c'était moi, Lupin, pour la patrie, le casse du casino de Nice, des hommes à

moi, l'affaire du Glasgow-Londres, moi, encore et
toujours moi, Lupin, Lupin, Lupin... Tu n'imagines
pas le courage qu'il faut pour disparaître. Pour ne
plus entendre prononcer son nom. Quand on est
quelqu'un comme moi.

— S'effacer .. Je vois ça...

— Et la jouissance qu'on retire à être invisible ?
Tu n'en reviens pas, hein ? Tu ne connais pas encore
ça, toi ! Tu goûtes à peine à la célébrité, mon pauvre
petit. Je me suis escamoté moi-même.

— Pourquoi revenir, alors ?

— J'ai mes raisons. Il le fallait. Tu comprendras
bientôt.»

Lupin sortit alors de sa poche le diamant rouge
qu'il fit jouer dans la paume de sa main, mimant le
moment où la pierre allait lui échapper à cause du
vent, et la rattrapant comme un prestidigitateur.

«Abracadabra ! Elle t'a proposé un caillou, tiens,
le voici, je le lui ai pris, je te le rends, à toi, tu l'as
bien gagné. Il est très beau, mazette, elle est amoureuse, dis donc, elle aurait pu te refiler du quartz
fumé, elle ne s'est pas moquée de ta jolie frimousse.
Méfie-toi, Isidore, quand elle aime, elle est redou-
table. C'est dans ces cas-là qu'elle tue. Elle te laissait un mois de réflexion, je te donne cinq minutes.
Le temps que ce pauvre Sholmès et ce bourrin de
Watson défoncent la porte. Tu les entends ? Ça tam-
bourine ! Tu aimes cette femme, ne le nie pas, je l'ai
vu dans tes yeux, et puis tu me ressembles trop. Moi
aussi, je l'ai aimée. Ce diamant ne sera pas celui de
vos fiançailles, tu sais, mon petit. Je lui connais déjà

trois maris. Je t'en trouverai d'autres, des brunes aux grands yeux. Tu te consoleras.

— Taisez-vous. Et vous pensez qu'un jeune homme bien élevé pourrait offrir à une femme une bague faite avec une pierre que celle-ci lui a donnée ? Vous n'êtes qu'un petit chapardeur.

— Tu te crois drôle ? En réalité, Isidore, tout est simple. Tu n'as pas le choix. Une bourse de thèse va t'être accordée par ton université, elle sera minable. Je multiplie le montant par cent. Tu veux savoir pourquoi ? Parce que si tu n'acceptes pas mon argent, tu ne reverras pas ta mère. Tu as essayé de l'appeler hier ? Tu es tombé sur son répondeur…

— Non !

— Elle quitte rarement la maison d'Étretat. Mais hier soir, elle est partie. Des hommes à moi, Jacques, dit Grognard, avec Karim, mon petit nouveau, sont venus la chercher, de ta part. Elle a été conduite dans une maison que je connais, près de Varengeville. Elle va être soignée par Victoire, tu sais, la petite-fille de ma vieille nourrice, celle qui connaît tous les bons remèdes, celle par qui j'ai été élevé, elles vont devenir amies…

— Pauvre type !

— Reste poli. Ta mère ne s'inquiétera pas pour toi. On va lui dire que tu es pour deux mois en Irlande, dans un collège pour jeunes chercheurs internationaux. Mais toi tu ne pourras pas la revoir… Ou alors, si tu veux retrouver ta mère, il suffit que tu me dises oui. Là, maintenant. Tu as besoin qu'on appelle chez Victoire ?

— Entendu. Je vous crois…»

Beautrelet était prostré, silencieux. Il détestait ce manipulateur, ce prétendu gentilhomme qui avait des méthodes de brute, ce prof de gym qui se croyait élégant, et qui le regardait, narquois :

«Inutile alors qu'on téléphone à Victoire ? Si tu crois en la parole donnée du gentleman-cambrioleur c'est un bon début. Nous allons faire de grandes choses ensemble, tu verras ! Arrête de résister, tu es ridicule.»

Beautrelet était tombé à genoux. Un coup de vent plus fort l'avait déséquilibré. Lupin se pencha pour le ramasser, avec une tendresse presque paternelle. Le jeune homme était comme un pantin entre ses mains. Il s'était fait mal au coude.

Lupin retira la veste bleu vif du garçon, et se dirigea vers la dernière porte, qui menait à la tour et à la flèche, cette aiguille rouge qui donne sa silhouette familière au monument. Il ouvrit le lourd panneau de chêne clouté de bronze.

*

Une minute plus tard, Sholmès et Watson arrivaient sur la plate-forme, suivis de tous les adolescents de la ville qui continuaient à mitrailler, à poster les images en rafales sur Facebook et sur Instagram. Le plus culotté était un escogriffe qui devait être encore au lycée, bousculant tout le monde, et poussant des cris de sauvage.

Le grand espace plan au-dessus de la ville pouvait se balayer d'un regard. Les deux hommes, houspillés par cette horde, toujours sous leurs défroques de SDF, virent la porte de la tour.

Joséphine Balsamo, comtesse de Cagliostro, de son côté, devait connaître un escalier secret, une porte cachée dans l'épaisseur de la façade par les architectes du xixe siècle qui avaient restauré l'édifice, au temps où on avait refait l'horloge astronomique. Elle s'était engouffrée à la suite de Lupin et de Beautrelet dans l'escalier à vis, elle n'était pas arrivée en haut. On ne la vit ni redescendre ni ressortir. Le monument l'avait protégée, elle avait disparu.

«La veste de Beautrelet, Watson, je la reconnais, nous sommes sur la piste. Regardez: déchirure à la manche, Lupin la lui a arrachée. Il l'a jetée là. Ils se sont battus. Les imbéciles, ils sont montés. Ils ne nous échapperont pas.»

Quelques minutes plus tard, les deux hommes atteignaient le sommet de la flèche, avec leur cortège d'admirateurs qui hurlaient «Bravo, bravo!», applaudissaient, criaient sous les claques du grand drapeau tricolore. Certains avaient fixé leurs téléphones à des casques de moto, pour tout filmer pendant l'action. Le grand garçon, leur meneur, donnait des instructions aux autres qui bourdonnaient en essaim. À cet instant, l'un d'eux filma, dans les yeux de Sholmès, un éclair de haine aussi pur et rouge que l'eau du diamant Argyle Cardinal.

Cette horde de petits monstres bardés de caméras ne virent pas deux silhouettes sombres sur le gris des pavés, tout en bas : Beautrelet et Lupin, sur la place, qui s'éloignaient à grands pas dans une tornade du diable.

Ils n'étaient évidemment pas montés au sommet, une souricière. Ils s'étaient contentés de laisser une veste dans l'escalier – ce sont les vieux trucs qui marchent le mieux, dans ces cas-là, surtout face à des adversaires qui croient posséder des intelligences supérieures, et oublient d'étudier les solutions les plus simples. Il leur avait suffi de se cacher un instant derrière le mur de la petite maison au géranium, et d'attendre que le dernier gamin ait pris l'escalier de la flèche flamboyante pour redescendre tranquillement jusque dans la nef.

Pour que Beautrelet ne prenne pas froid, Lupin avait retiré sa propre veste, un bon vieux tweed de bedeau de paroisse riche. Beautrelet devina la musculature du cambrioleur, des biceps qui tendaient la chemise, cela collait bien avec les leçons que Théophraste Lupin avait pu donner à son fils – la « culture physique » des années 1900 avait simplement cédé la place à la musculation. Il se sentit un peu gringalet, il ne savait plus très bien quoi faire. Il se taisait.

Il avait vécu un vrai coup de foudre, pour une très belle femme un peu étrange, qui l'avait ensorcelé. Il n'arrivait pas à oublier ses mains, ses paupières, sa bouche, il avait envie de la revoir, de ne pas entendre ce que cet homme disait sur elle.

Il avait surtout peur pour sa mère. Il n'avait pas grand-chose à perdre à dire oui à Lupin, à accepter son argent – pour peu qu'il continue son travail de recherches...

Il avait perdu la partie, mais il était heureux. De nouvelles aventures d'Arsène Lupin commençaient, il en était un des acteurs principaux, ça lui allait.

*

Le soir venu, plus personne ne semblait penser aux événements du jour. Une quiétude alsacienne avait repris possession de la ville. Les abords de la cathédrale étaient presque déserts. Attablés, près d'une bonne flambée qui embaumait, devant la célèbre choucroute de la maison Kammerzell et une bouteille de gewurztraminer «vendanges tardives», les deux hommes ont vite conclu un pacte.

Beautrelet a compris qu'il ne devait pas poser trop de questions. Lupin ne lui dirait rien de plus que son nom, et c'était déjà lui dire tout. Il ne lui expliquerait rien de sa réapparition, de ses raisons, de ses secrets de vie éternelle – du moins pour le moment. En échange, il ne demanda pas non plus à Beautrelet de lui livrer les formules de son élixir de longue vie traduit dans le langage de la chimie moderne. Ils ne se toisaient pas, ils parlaient, presque amicalement.

Ils avaient passé l'après-midi à faire du tourisme dans la région, du Haut-Kœnigsbourg au château d'Andlau, à se promener dans les vignes. En descendant de la cathédrale, Lupin avait entraîné le jeune homme dans une jolie Jaguar vintage vert bouteille garée à deux pas du palais Rohan, et dix minutes plus tard ils étaient dans la campagne. Curieux moment pour faire du tourisme : dans les salles néogothiques du Haut-Kœnigsbourg, Lupin semblait avoir remonté le temps, il ne lui manquait qu'un monocle. Il en sortit bientôt un de sa poche, qu'il fit voleter. Sa voix même avait une intonation un peu « vieille Comédie-Française », qui donnait à cette visite des lieux qu'il semblait bien connaître l'allure d'une reconstitution historique. Beautrelet se crut au début du XXᵉ siècle, à l'époque de Guillaume II, quand Lupin avait entrepris de tourner le Kronprinz, le fils du Kaiser, en ridicule. Le jeune biologiste fut presque déçu de ne pas voir un pan de la muraille de la grande salle à manger au décor héraldique s'ouvrir, ou le manteau de la cheminée, entre deux immenses massacres de cerfs, se soulever pour dévoiler l'entrée d'un passage secret...

Lupin avait parlé de l'Afrique, de la Russie, des pays qu'il connaissait bien. Beautrelet, en confiance, avait évoqué ses projets de post-doctorat dans une université américaine, de ses vacances en Italie, ils avaient en quelque sorte renoué – comme s'ils s'étaient perdus de vue un beau soir de 1904.

Andlau, plus authentique, moins touristique, les enthousiasma : les murs semblaient avoir tant de légendes à raconter. Comme le soir venait, des projecteurs nimbaient progressivement le donjon d'une obscure clarté – on était bien au XXIᵉ siècle. Lupin avait proposé à Beautrelet de prendre le volant et ils étaient rentrés à Strasbourg en écoutant des cantates, du jazz et des chansons de Jacques Dutronc.

Demain, la mère d'Isidore serait auprès de lui, dans la maison de famille d'Étretat, elle lui parlerait de biologie moléculaire, de son jury, de ses professeurs – et elle ne lui demanderait pas s'il s'intéressait encore à ces vieux livres de poche des aventures d'Arsène Lupin qu'il aimait tant lire à quinze ans.

Au cours de leurs conversations, tandis qu'ils regardaient voler les aigles pour touristes autour du château impérial, dans la lumière dorée de l'après-midi, par un accord tacite, aucun des sujets «graves» n'avait été abordé. Comme s'ils se donnaient un répit, que Lupin brisa le premier, en reprenant de la choucroute :

«Elle est croquante, c'est ce que j'aime bien ici, pas trop de baies de genièvre, impeccable ! C'est très sain, tu sais, la choucroute, pour les sportifs, le seul vrai problème c'est toute cette charcuterie qu'on apporte avec elle, mais ça n'a pas l'air de te déplaire. Allez, je te redonne des saucisses, j'insiste. J'avais réservé pour deux, elle est jolie cette table au coin de la cheminée, il faut s'y prendre quinze jours à l'avance, tu sais, ici… La prochaine fois on choisira la choucroute aux trois poissons, spécialité de la maison. On va redemander du gewurtz. Tu penses bien, Isidore, que je n'en ai rien à faire de ces statues néogothiques de Strasbourg, je les ai utilisées là où elles peuvent décorer la vie des gens, en guise de santons de Provence absurdes pour orner une entrée de métro dans un style un peu kitchouille – j'ai mes chances à la prochaine FIAC avec ça, tu crois ? Et ça a bien amusé la petite bande de gosses intoxiqués par Internet à qui j'ai filé l'heure d'arrivée du train de Holmes, même pas eu besoin de les payer ! Ils sont sympas, crebleu, je les enrôlerais bien dans ma bande...

— La référence à Saint-Denis, c'était bien joué, deux fausses pistes en un seul nom, le métro, la basilique des rois : le pauvre Herlock a cru que l'un cachait l'autre, alors que dans les deux cas vous l'emmeniez sur une voie de garage. Alors, le coup de la bâche qui tombe, des statues volatilisées, c'était juste pour vous faire remarquer ?

— Tu crois ?

— Vous faire remarquer... de moi ?

— Jeune présomptueux. Mon Isidore ! Peut-être bien... »

Lupin rit bruyamment, et la jeune femme qui dînait à la table voisine avec son vieux mari se retourna en souriant.

Isidore n'avait pas soupçonné, sur le moment, que ce qui intéressait d'abord le gentleman-cambrioleur revenu à la vie – on le croit mort depuis presque cent ans –, ce pût être sa grande découverte à lui, Beautrelet, ces secrets contenus dans ce volume de thèse – qu'il n'a pas fini d'écrire – et qui peuvent transformer les cellules du corps humain.

Le cambrioleur savait-il qu'il verrait resurgir sa vieille ennemie, la Cagliostro, cette Joséphine Balsamo qui était pour lui ce que Milady de Winter était à d'Artagnan ? Isidore ne se sentit pas autorisé à

lui poser la question. Lupin intimide, tout de même !
En lui serrant la main, après le dîner, devant la façade
du palais Rohan, Beautrelet pensa aussi qu'au passage Lupin avait conservé le diamant dans sa poche
intérieure...

*

On remit en place, en quinze jours, les statues
de la cathédrale. Ou plutôt, on les remplaça par
celles que le service des Monuments historiques
avait fait sculpter à grands frais dans les carrières
de Rothbach. Personne ne remarqua, sur une des
statues, celle du roi David, un manteau semé de
petites abeilles sculptées, invisibles à vingt mètres
de hauteur.

Beautrelet, en voyant les images apparaître sur le
profil Facebook d'une de ses amies conservatrice de
musée qui relayait toutes les actualités culturelles, fut
le seul à comprendre.

Il entendait encore la voix chaude de celui qui lui
avait donné sa veste pour le protéger :

« Moi, Lupin, je veux offrir au monde de l'avenir
les secrets de la vie, pour que les trésors de la science
soient donnés à tous, et d'abord aux pauvres, dont je
suis le chevalier. »

Il jubilait. La molécule est dans le miel, Beautrelet,
son ami, son protégé, son rival avait été le premier à
le découvrir. Il allait lui fournir les moyens de faire
connaître sa découverte et de procéder à de vraies
expériences. Il serait l'empereur. L'abeille impériale

française, ajoutée à la façade séculaire que le Kaiser avait voulu faire sienne, était devenue l'emblème de celui qui affiche au plus haut sa devise : «Je ne pique pas, je vole.»

Chapitre 2

La double vie d'Arsène Lupin

Paul Beautrelet se sentait vaincu. Lupin l'avait subjugué. L'étudiant de génie ne se sentait pas très brillant, il retournait dans son esprit l'affaire de Strasbourg, quel échec ! Mieux valait revenir à sa thèse, abandonner la lutte avec cet adversaire trop fort pour lui. Mais n'était-il pas devenu chercheur pour retrouver les émotions de son arrière-grand-père Isidore, pour être sa réincarnation ?

Il avait décidé de ne plus sortir de sa chambre – ou du moins de limiter ses promenades à un rayon de cent mètres autour de chez lui. Pas de voyages, pas d'aventures, du travail, sans relâche. Sa mère, un peu inquiète, menaçait de venir lui rendre visite. Il l'en avait dissuadée. Étretat-Paris, ça reste une aventure pour elle : pas de gare, elle ne conduit pas, il faut prendre le bus jusqu'à Bréauté. L'Aiguille est bien protégée, en dehors des circuits du grand tourisme.

Il était, à vingt-cinq ans, à la veille d'une des plus grandes découvertes scientifiques de l'histoire, cela seul comptait. Lupin, abeille butineuse qui picotait

son orgueil, allait surtout lui faire perdre son temps.
Peut-être même était-ce son seul vrai but. Lui voler
sa découverte en occupant son esprit avec autre
chose : un peu d'amour, un peu d'enfance, un peu
d'action…

Ce que le jeune Beautrelet devait défendre, c'était
ses recherches. Oublier Isidore et redevenir Paul. Il
avait encore dans l'oreille ce rire insolent devant la
cheminée de la maison Kammerzell. Il se demandait
si tout cela s'était réellement passé, s'il n'avait pas
rêvé. Il avait bien gagné le concours « Ma thèse en
trois minutes », mais le reste, la poursuite dans la
cathédrale, le diamant rouge, cette femme magnifique, Joséphine Balsamo… Il n'avait plus entendu
parler d'elle, elle n'avait pas tenté de le poursuivre.
Elle n'était pourtant pas du genre à s'avouer vain-
cue… Elle n'avait pas dû s'intéresser vraiment à lui,
elle avait dû le trouver trop gamin. Tant pis ! Depuis
que son amour du lycée, Agathe, avait décidé de faire
sa vie avec un polytechnicien, il n'était plus vérita-
blement tombé amoureux, juste une aventure ici ou
là. Tous ses amis de Jussieu avaient des comptes
ouverts sur des sites de rencontre, ils draguaient,
ordinateurs ouverts, téléphones vibrants, dans les
amphis, pendant les cours et les séminaires, devant
des enseignants émerveillés de tant de concentration
et de silence – lui, ça ne l'intéressait pas, il en riait.
Chez les Beautrelet on a l'âme romantique.

Paul voulait rester seul. Il avait tout sécurisé, dès
son retour à Paris, de la manière la plus simple du
monde : l'essentiel n'était ni dans son ordinateur,

ni dans ses carnets, ni dans son téléphone portable, ni dans les rapports qu'il envoyait au professeur Foucart, le pape de la biologie moléculaire, son directeur de thèse. L'idée forte, il ne l'avait pas encore dite, il ne l'avait écrite nulle part, elle était dans le coffre-fort le mieux sécurisé qui soit : la chambre la plus reculée de son cerveau. Il fallait maintenant du temps pour l'en extraire, pour lui donner une forme écrite, construite, argumentée, s'appuyant sur des expérimentations. Il ne fallait plus le déranger.

Le jeune Paul vivait plutôt heureux, fort de ces résolutions, à son rythme, dans cette grande pièce unique, avec cuisine américaine et petite salle de bains dotée d'une baignoire – luxe indispensable quand on aspire à la gloire d'Archimède –, un petit monde qu'il pouvait, depuis son lit, balayer du regard – et où il n'y avait strictement rien à voler.

Son studio d'étudiant se trouvait rue du Pont-aux-Choux, à l'endroit où une grande botte rouge servait autrefois d'enseigne à un cordonnier et que l'actuel Boot Café, tenu par des étudiants américains, a conservée – une maison historique, puisqu'elle était, au XVIIe siècle, la demeure de Cartouche, le bandit-gentilhomme. Cela lui avait plu tout de suite. Il avait aimé les tomettes, sans doute d'origine, la fenêtre en chêne à petits carreaux, les murs passés à la chaux : le beau style XVIIe rustique, qui donnait l'impression qu'on allait voir arriver Belmondo en larges bottes et entendre bafouiller Bourvil. Au-dessus de la porte de son appartement, à l'intérieur, trois lettres capitales étaient sculptées maladroitement dans la pierre du linteau : L.D.C. L'agent immobilier lui avait expliqué que cela voulait dire Louis Dominique Cartouche, mais c'était sans doute du roman. Ces combles avaient été le gîte même du brigand qui détroussait les grands seigneurs pour donner aux miséreux. Beautrelet se trouvait bien dans ce cocon, chez lui, protégé, même s'il rêvait parfois d'une pièce de plus...

Cette aura historique, qui nimbait sa chambre sous les toits, ne l'empêchait pas d'oublier le Grand Siècle et de passer sur Internet des heures délicieuses à flâner, de site en site, comme dans un paysage choisi. Depuis son apparition à la télévision, plusieurs centaines d'inconnus le demandaient comme « ami » sur Facebook, et il en acceptait certains, pour voir – une Coréenne plutôt jolie, un professeur de Harvard qu'il aimerait bien rencontrer, des Strasbourgeoises BCBG, plus bourgeoises que strass, qui lui écrivaient qu'il était désormais une des gloires de leur ville...

Pendant qu'il tricotait ainsi, Beautrelet avait l'esprit libre et vide. C'est dans ces moments-là, chez les savants, que les pensées abstraites surgissent sans crier gare. Il les guettait. Les idées qui se développent d'elles-mêmes, quand on est occupé à une activité un peu creuse et routinière : il épluchait les réseaux sociaux comme autrefois, à la campagne, chez lui, en Normandie, les fermières écossaient les petits pois. Il bavardait avec lui-même. Une certaine addiction était née. Le cerveau, pour fonctionner vraiment comme un coffre-fort, a besoin de ces moments de vide où les séries télévisées deviennent passionnantes et où les «amis» inconnus, du Honduras à la Norvège, mettent en ligne d'insignifiantes photos de vacances. On n'est plus soi-même, on est une image, on mène une vie parallèle. Il lui arrivait d'avoir quatre écrans ouverts à la fois : la télévision qui ronronnait, l'ordinateur, son smartphone et sa tablette – c'est dans ces moments-là que son cerveau décrochait, décollait, et qu'il se sentait seul avec ses idées. Cette superposition d'images fonctionnait comme un brouhaha qui brouille les radars, un écran de fumée qui cache le mécanisme d'ouverture de cette zone qui, pour un chercheur, est le bien le plus précieux : son authentique vie intérieure.

*

À cinq heures du matin, «Isidore», rêvant d'aventures, ralluma son ordinateur. Il se connecta sur Facebook parce qu'il n'arrivait pas à dormir. Sa défaite contre Lupin resterait-elle une tache ineffaçable ? Sur Internet, nul n'a droit à l'oubli. Lui qui voulait sortir grandi de la compétition à laquelle il s'était livré avec toute l'audace, la confiance en lui et la touchante naïveté dont il se sentait capable, repartait tête basse, ridicule, avec l'envie de se faire oublier. Il avait laissé le cambrioleur cambrioler son amitié, et lui serrer la main, comme s'ils étaient entre gentlemen. Il regrettait. Son père n'était plus là depuis maintenant quelques années, et il n'avait pas besoin de quelqu'un qui le remplace. Son père lui aurait dit de fuir cet aventurier. Lupin avait eu un peu trop tendance à lui parler comme à un fils, cela il ne le supportait pas.

Il avait le sentiment, pourtant, d'avoir été battu de justesse. Il avait tout deviné de la stratégie du voleur, de ses mobiles, de sa méthode – tout, ou presque. Il s'était laissé aller à lui en dire bien trop sur ses recherches et ses trouvailles. Il avait eu la faiblesse de se livrer à lui, après cette jolie promenade en vieille Jaguar dans les châteaux d'Alsace, comme à un ami de toujours – il aurait pu tout révéler, ou presque.

Il a accepté de travailler pour Lupin, pour cette somme d'argent égale à cent fois la bourse qu'en effet son université lui avait annoncée... Il n'a pas dépensé le terrifiant virement qu'il a trouvé un matin sur son compte, émis par une banque de Bâle au nom inconnu. Il n'est pas fou, il n'a pas ouvert à cet enjôleur d'Arsène son coffre-fort – et pour les quelques secrets qu'il contient, il est prêt à se battre jusqu'à la mort.

Rien n'apparaît. Facebook en panne?

Il éteint, rallume. Sur l'écran, tout est vide. Une coupure temporaire sans doute, les fameux « réglages » que les druides de Palo Alto qui gèrent le réseau mondial effectuent, pour chaque pays, aux heures où il y a le moins de connexions. Il éteint. Rallume. Essaie avec la tablette, l'application du téléphone. Même problème. Il faut prendre son mal en patience. Mais ce n'est pas cela qui va l'aider à dormir. Sous son lit, il a gardé cet instrument d'un autre siècle, offert par sa tante Élisabeth pour ses dix ans, et qu'il n'a jamais pu quitter : un petit poste de radio. La radio c'est ce qui reste quand on a tout oublié, quand le reste bogue, la vraie culture au fond.

Il met France Info. Et là, on ne parle que de Facebook, comme si cette panne était plus importante qu'une explosion terroriste, un tsunami ou l'effondrement de la Maison Blanche. On évoque un «nouveau terrorisme mondial».

Beautrelet s'est assis dans son lit, il n'a plus la moindre envie de dormir. Un journaliste paniqué donne des informations qui lui parviennent de partout.

Tout le réseau a disparu. On a volé les données personnelles d'un milliard d'utilisateurs. C'est le plus grand forfait virtuel de l'histoire.

À qui profite le crime ? Que peut-on faire de toutes ces pages virtuelles ? Combien de temps faudra-t-il pour relancer la machine ? Comment fait-on pour supprimer en un instant le plus grand réseau social du monde ? Aucune analyse n'est vraiment claire... En réalité, nul ne sait, comme cela, en pleine nuit, comment fonctionne Facebook – comment on s'y prend pour «débrancher», qui est habilité à le faire, selon quelles procédures... Les commentateurs vasouillent et meublent comme ils peuvent.

Lupin est le premier nom qui vient à l'esprit. Un cambrioleur du xxie siècle a évidemment envie de s'approprier Facebook. C'est l'équivalent actuel du vol des plans du sous-marin le *Sept-de-Cœur* ou des secrets de l'armée allemande en 1910, du vol de la *Joconde* ou de la panne des escaliers de la tour Eiffel en pleine Exposition universelle pour ridiculiser le préfet de police coincé avec le président du Conseil…

À cet instant, c'est «Arsène Lupin-profil officiel» qui apparaît sur l'écran, en français, à la place de tous les profils du monde…

Beautrelet sourit. Voilà, c'est plus clair comme ça. Il va se faire couler un bain.

Arsène a pris le contrôle. Pour combien de temps? Une seule image sur l'écran: une couverture de l'édition originale illustrée du *Bouchon de cristal*, un des romans que le petit Paul aimait plus que tout, avec, en guise de photo de «profil», la silhouette de Lupin telle qu'elle était déjà familière pour les lecteurs des années 1920, monocle, œil noir, cape de soirée, chapeau huit-reflets.

La panique est mondiale, du Vatican à Moscou, de New York à Brasilia. Toute la journée, les médias n'ont parlé que de ce cataclysme. Posséder Facebook, c'est d'abord ruiner une des premières entreprises du monde – mais à part pour assouvir une obscure vengeance, pourquoi vouloir ruiner le géant? Lupin volait – vole encore? – pour posséder, pour donner, pas pour le plaisir de ruiner les autres. Le mobile échappait aux enquêteurs, et à Beautrelet, stupéfait de tant d'audace.

L'autre hypothèse, à laquelle tous les analystes semblaient se rallier, c'était que Facebook constitue la base d'informations personnelles, de photographies, la banque de données factuelles la plus importante au monde: dans le domaine du renseignement, c'est une arme. S'approprier cette hache de guerre,

c'est le rêve de toutes les agences de contre-espion-
nage de la planète. C'est poser des millions de caméras de surveillance partout – ou les empêcher, toutes
au même instant, de fonctionner. Mais le gouvernement américain n'a-t-il pas déjà accès, en douce, à
tous les réseaux sociaux ? Le Pentagone affirme tellement que non...

Qui peut avoir le temps de tout éplucher ? Bien
sûr, aucun terroriste avant son crime ne va mettre
quoi que ce soit sur Facebook, mais on y trouvera
vite ce qui est capable de trahir ou de confondre un
suspect : photo faite par un autre, visage qu'on identifie dans une foule, disposition d'un appartement,
angles de vue depuis telle ou telle fenêtre...

La fonction « identification d'amis », qui amuse
tant les collégiens depuis des années maintenant, est
bien plus utile que n'importe quel fichier du FBI.
Toute forme de visage, implantation des cheveux,
couleur des yeux peut être associée à un nom impru-
demment entré dans Facebook par une amie d'université, une cousine, un voisin de palier. N'importe
quelle photo prise peut devenir, pour qui sera capable
de la lire, une source de renseignements. Un tel trésor, ça peut se voler. Mais pourquoi aujourd'hui ?
Pour obtenir quelle information ?

D'autant que dans l'affaire, nul ne savait rien : ni
qui chercher, ni quoi, ni où – quelle aiguille pouvait
avoir intéressé le gentleman-cambrioleur dans la
botte de foin mondiale...

Lupin s'était borné à revendiquer cette action,
sans suggérer la moindre piste. Il avait apposé sa

signature sur une œuvre d'art conceptuelle, dont
la signification véritable échappait à tous. Comme
Marcel Duchamp – un de ses avatars ? Il l'avait dit, à
Strasbourg, en passant, sans insister – signant un uri-
noir ou un porte-bouteilles, il avait fait de Facebook
son œuvre, son ready-made. Du coup, certains
journalistes doutaient : était-ce réellement Lupin,
l'homme qui venait de resurgir, l'homme de la bâche
de la cathédrale de Strasbourg, qui agissait ? Arsène
n'aurait-il pas parlé d'abord pour le simple plaisir
de se livrer à quelques rodomontades ? Ne serait-il
pas apparu autrement, sur son profil Facebook, qu'à
travers cette image ancienne du *Bouchon de cristal* ?
Ce regard diffracté par les cent facettes du bouchon
miroitant dans la lumière… La seule vraie preuve de
son identité, c'était le culot immense qu'il avait fallu
pour réussir un coup pareil, la difficulté technique de
ce vol.

Tous les « crypteurs » du monde sont en alerte. Le
silence de Facebook résiste à leurs assauts. Beautrelet
piaffe. Ses compétences universitaires ne lui sont, en
la matière, d'aucune utilité : la biologie moléculaire
ne va pas beaucoup l'aider – il n'est qu'un utilisateur
du Web, mais il y passe six à sept heures par jour, et
cela l'a rendu attentif. Sur Facebook, il ne « postait »
rien de bien personnel : ce n'est pas lui qu'on aurait
vu collectionner les selfies avec des starlettes, ni donner des recettes de quiche au poireaux, ou poser avec
ses petites copines sur la plage de Sagone.

Il avait quand même placé en haut de sa page
personnelle la vidéo, qui tournait déjà beaucoup sur

YouTube, montrant sa victoire au concours « Ma thèse en trois minutes », aucune raison de ne pas s'offrir ce petit plaisir, pour rendre jaloux ses cousins.

*

Vingt-quatre heures plus tard, après une grande journée de vide mondialisé, durant laquelle les chaînes d'info continue – une des drogues de Beautrelet pendant ses séances de travail de thèse – avaient radoté à l'envi.

Au Boot Café, devant son iPad, Beautrelet assista en direct, en même temps que tous les internautes, au rebondissement qui secoua à nouveau la planète.

Le réseau, sans crier gare, avait été rétabli. D'un coup, il avait été là, comme un chat qui se serait matérialisé sur un coussin.

C'était cela la vraie signature de Lupin : le panache avec lequel il avait restitué au milliard de pauvres gens spoliés de leurs doubles vies leurs identités virtuelles. Beautrelet se connecta aussi sur son téléphone, pour vérifier. En un clin d'œil, tout fonctionna à nouveau, sans raison, sans explication.

Comme les autres, il récupéra sa vie, son « profil », vérifia ses photos, ses données... Il parcourut la liste de ses trois cents amis, rien ne semblait changé, tout était conforme à son souvenir, à son passé... La routine virtuelle pouvait reprendre, calme et tranquille.

Au fil des heures, Facebook prit contact avec ses clients, par un court message diffusé *urbi et orbi*, les appelant à vérifier la conformité des données récupérées avec celles qui avaient été perdues. Aucune plainte sérieuse ne fut enregistrée. Personne ne signala sa propre disparition virtuelle.

Le réseau restitué semblait en tout point superposable au réseau volé – sauf si des profils nouveaux étaient apparus… Mais quel intérêt y aurait-il eu à agir ainsi ? Pour créer des identités fausses, nul besoin de paralyser tout. N'importe qui, sur Facebook, a toujours pu ouvrir un profil, avec des photos d'emprunt, en prétendant s'appeler Eulalie Jullouville ou Marguerite Devalois.

Les autorités françaises avaient été alertées tout de suite par la NSA, les grandes oreilles américaines : Lupin, c'était forcément la France – et l'inspecteur Ganimarion, directeur général de la police nationale, qui possédait à ce titre la tutelle sur l'Institut national de police scientifique, une fois de plus, n'avait pas de réponse à donner à ses collègues – et sans doute pas non plus au ministre de l'Intérieur ou au préfet de police de Paris. Les dirigeants de Facebook n'avaient aucune information. Le réseau mondial, comme on l'appelle, est d'abord un réseau américain, contrôlé par des entreprises américaines : le petit pays de Napoléon est prié de se comporter comme une gentille colonie. Sans rôle réel malgré de bons salaires, les dirigeants de ce qui a été charitablement dénommé « Facebook France » n'étant que la courroie de transmission du petit groupe des créateurs du site, ils ne purent que bafouiller des propos lénifiants. Leurs jeunes patrons surmédiatisés venaient d'avouer, dans un communiqué digne d'un journal étudiant de la côte Est, que pendant vingt-quatre heures les ordinateurs de Palo Alto avaient semblé contenir une seule image, celle de Lupin, et qu'ensuite tout était revenu. Des choses que le monde entier savait déjà.

Les hangars avec les ordinateurs, à Palo Alto, avaient été sécurisés par l'armée, à la demande du secrétaire d'État à la défense des États-Unis d'Amérique. Mais déjà, depuis trois ans au moins, pour y entrer, il fallait se soumettre à une fouille, faire partie de ceux qui figurent sur la liste des personnes habilitées à pénétrer dans ces sanctuaires, avec un contrôle d'identité fondé sur la reconnaissance de la pupille de l'œil et de la paume de la main. L'explication rationnelle du mystère n'était pas facile à trouver...

Beautrelet se disait à lui-même : « Tripotée d'incapables, en France comme aux États-Unis, des godelureaux bons à rien qui gagnent cinquante fois plus que des ministres, et qui pilotent des machines dont ils ne sont pas capables de comprendre le fonctionnement. Il a eu raison, Lupin, de faire une petite purge planétaire. Il faut faire tomber quelques têtes parmi ces archontes et ces stratèges des réseaux sociaux, leur arrogance passe les bornes. »

Un chroniqueur sur France Info développait des idées que Beautrelet trouva séduisantes faute de mieux. Tout le monde, au XXIe siècle, mène une double vie : celle que chacun montre sur la Toile mondiale disparaîtra un jour, aucun internaute ne laissera de traces, et quand le dernier ordinateur se sera éteint, aucun archéologue du futur ne pourra décrire les mentalités de ceux qui vivaient ainsi, les pieds dans le réel et la tête dans les réseaux. Facebook, qui sera bientôt fait de plus de morts que de vivants, sera la grande nécropole du xxie siècle, que nul ne pourra jamais fouiller.

Tout ça c'était bien gentil. Il fallait attendre. Tout le monde voulait maintenant voir Lupin attaquer les autres entreprises géantes du World Wilde Web, Amazon, Google, Apple… Le monde patientait jusqu'à ce qu'Arsène, poison des profondeurs, arsenic virtuel et sans dentelles, intervienne à nouveau, s'explique enfin, se décide à agir, pulvérise les autres fourmilières.

Convaincu que Lupin le défiait, lui, et aucun autre, à travers cette action planétaire, Beautrelet savait qu'il allait réussir à deviner, par la seule force de sa raison, et sans sortir de chez lui, son repaire de Cartouche, ce qu'il avait voulu faire et quel sens il fallait donner à ce magistral acte gratuit.

Herlock Sholmès, qui ne connaissait sans doute pas grand-chose à Facebook, et son bouseux blogueur de Watson se taisaient. Ils devaient se passer, dans l'appartement de Baker Street, leurs vieilles cassettes VHS des concerts de Madonna.

*

La seule information certaine, c'est que tout le réseau clignote à nouveau de mille feux – et ne parle que de Lupin. Pour Beautrelet, il est évident que le premier cambrioleur virtuel de l'histoire s'est copieusement servi de cet outil : il avait besoin, pendant douze heures, de posséder toutes les images, tous les visages, tous les noms, vrais et faux, toutes les localisations. A-t-il ajouté au réseau une fois remis en marche des profils, des images, des informations ? A-t-il détruit des comptes ? Et comment a-t-il fait ?

Il faut, pour réussir, avoir des complicités à l'intérieur de l'entreprise, avoir accès aux ordinateurs où les données sont stockées, ces hangars en surchauffe qui contribuent, dit-on, au réchauffement de la planète. Des lieux mieux sécurisés aujourd'hui que Fort Knox à l'époque de James Bond, ou que le Wall Street Center avant les attentats : l'administration américaine sait bien que c'est là, désormais, que se trouve le défaut de la cuirasse. Il faut ensuite tout savoir de ces machines, de ces gros tuyaux planétaires pour les vider, en analyser le contenu, et les remplir. Cela semblait d'une invraisemblance totale. Un Lupin ne dispose pas des moyens humains suffisants pour, en une seule journée, tirer du réseau mondial l'ensemble des informations utiles, monnayables, qui permettent de faire de Facebook une arme de guerre. Sauf si Lupin n'est autre que le patron de Facebook, comme il avait été, cent ans plus tôt, M. Lenormand, chef de la sûreté, poste à peu près équivalent à l'ère de la mondialisation...

Beautrelet pataugeait. Lupin n'avait toujours rien dit. Aucune déclaration officielle. Il était inconcevable qu'il se fût offert cette fantaisie pour le simple plaisir d'épater la galerie. Lupin, depuis sa résurrection dans la capitale européenne, semblait aimer désormais les coups d'éclat, mais rien chez lui ne pouvait être fait sans but. Beautrelet tentait de se mettre dans la psychologie de celui qu'il croyait si bien connaître, de modeler sa pensée d'après ce qu'il pensait savoir de la sienne. Arsène était capable d'avoir paralysé l'ensemble du réseau mondial pour trouver et paralyser un seul profil, pour une seule personne. Il pouvait l'avoir voulu par amour, pour empêcher une femme, durant un jour, d'utiliser ce réseau. Quelle beauté mystérieuse, durant cette nuit où Beautrelet n'arrivait pas à dormir, devait ne plus pouvoir joindre personne, ne plus pouvoir être jointe via Facebook, car il n'avait coupé ni la messagerie ni les téléphones…

Pour tout comprendre, Beautrelet aurait eu envie d'aller trouver Lupin, le vrai, enfin du moins l'homme qui s'était présenté à lui devant la cathédrale de Strasbourg. Mais où ? Vivait-il encore à Étretat ? Sans doute pas, l'histoire de l'Aiguille creuse avait cent ans, il valait mieux oublier tout cela. Le Clos Lupin d'Étretat, c'est désormais un charmant musée qui se visite, où Beautrelet allait petit avec ses cousins. Pourtant, Arsène lui en avait parlé, dès Strasbourg, en prenant la pose de Louis XIV, main sur sa canne : « Étretat c'est moi. » Fausse piste, comme toujours.

Seul chez lui, Paul-Isidore ne savait pas dans quelle direction réfléchir. Il parcourut du regard les quelques livres de sa petite étagère, rescapés de sa chambre dans la maison familiale, à deux pas de la plage : *Les Trois Mousquetaires*, parce qu'il n'avait jamais cessé de vouloir être d'Artagnan, *Le Bossu*, parce qu'il n'avait jamais cessé d'être amoureux d'Aurore de Nevers et de sa fille, la petite Aurore, les *Calligrammes* d'Apollinaire, parce que c'était une édition originale donnée par son grand-père quand il avait dix ans, et tous les livres de poche des aventures du gentleman-cambrioleur, sans cesse relus... À côté des livres, les premiers coffrets de DVD de séries américaines et anglaises – sa mère lui reprochait de lire de moins en moins, lui qui dévorait tout quand il était enfant, de Jules Verne à *Ouest France*. Il les téléchargeait maintenant, et prétextait l'entretien de son anglais pour justifier cette petite addiction, qu'il partageait avec tous les étudiants de son université...

Pour une enquête « normale », on va sur les lieux. Mais cette fois le mystère se joue dans un espace qui n'existe pas, n'importe où, hors du monde. Et le voleur lui-même est un héros de fiction, il échappe non seulement à l'espace, mais au temps... Ce Lupin d'aujourd'hui, cet homme qui plaisante et qui boit du vin blanc, qui est-il, par rapport au Lupin des années 1900 ? Un descendant direct ? Un héritier spirituel ? Un imposteur qui se serait approprié sa légende ? Faut-il imaginer qu'un Lupin vieillissant, comme les dalaï-lamas, ait, à chaque fois, désigné et formé un successeur ? Comme pour le comte de Saint-Germain, qui charmait déjà Marie-Antoinette, une série d'imposteurs s'étaient-ils transmis le flambeau en se donnant pour but d'incarner « l'homme qui ne meurt jamais » – au point que dans les années 1970, les magazines photographiaient Dalida dans les bras d'un soi-disant comte de Saint-Germain ?

Beautrelet ne doutait pas que Lupin avait mis le feu à la planète pour lui faire un signe, à lui, petit étudiant reclus dans son studio. Il était persuadé que Lupin allait bientôt lui parler. Ce qu'il aurait bien voulu, c'était arriver à prendre l'avantage, trouver Arsène avant que celui-ci ne se manifeste.

À cet instant, toujours enfermé dans la soupente de Cartouche, Beautrelet ramassa ses idées, comme un athlète réunit ses forces avant de soulever ses poids. Ce n'était pas Facebook que Lupin avait volé. Facebook n'était qu'un moyen, qu'un levier. La seule chose certaine c'est que le cambriolage avait été mondial.

Il s'était passé peut-être cette nuit-là un événement planétaire. Il fallait partir de là, chercher le mobile. Aucun sommet politique, de la Crimée aux Balkans, de Washington à la Libye : la planète avait été d'un calme presque total, rien n'avait empiré dans les grands conflits mondiaux, aucune négociation de paix n'avait été engagée, aucun virus ne s'était répandu. Beautrelet séchait. Quand il avait allumé sa radio, à cette heure-là, France Info meublait avec ses marronniers : le bilan des soldes, l'immobilier à Paris et les salaires des cadres. Il descendit, pour aller déjeuner dans le petit restaurant japonais où il avait ses habitudes.

*

Dans la rue du Pont-aux-Choux, il dévisageait les passants : Lupin pouvait prendre n'importe quel déguisement, il aurait toujours le même regard. Il le reconnaîtrait quelle que soit son apparence, il avait bien observé ses yeux, ses mains. Mais comme il était fébrile, il crut voir briller l'œil d'un joggeur épuisé, puis celui d'un touriste allemand avec femme et enfants, il voyait des Lupin partout, comme sur Internet, il était temps de se reposer...

Au Planet Bento de la rue des Filles-du-Calvaire, un ancien restaurant de sushis qui s'était refait une jeunesse en distribuant ces petits plateaux remplis d'une mosaïque de mets délicats dont tout Paris raffolait, il choisit le plus beau, avec son dessert préféré, la crème de tapioca. Sur un grand écran plat au fond du restaurant encore vide en cette fin de matinée, Nippon TV diffusait un épisode des *Aventures d'Arsène Lupin* avec Georges Descrières, de la Comédie-Française, doublé dans la langue de Mishima. Il n'était plus question que de Lupin sur toutes les chaînes. La petite-fille de Maurice Leblanc, Florence, témoignait sur France 2 (l'écran d'à côté). Les ventes des œuvres complètes montaient en flèche.

La jeune fille qui s'était approchée lui plaisait. Il la connaissait. Une vraie Japonaise dans une boutique de bentos à Paris, c'était devenu rare. Il se disait qu'un jour il l'inviterait à boire un verre. Elle lui parla :

« Vous avez vu cette affaire Lupin sur Facebook, on ne parle plus que de ça. Même l'anniversaire de Naoko a été oublié ! Ma chanteuse préférée. La Japonaise la plus connue au monde.»

Elle souriait. Elle était belle. Elle avait vu une lumière dans les yeux gris de ce jeune homme qui la faisait rêver depuis des mois. Beautrelet resta muet, en extase. Il avait compris. Pas tout, mais presque. Les vérifications prendraient dix minutes.

Une voix grave à côté de lui demanda : «Pour les sauces au soja, vous me conseillez sucré ou salé ? Si je lui demande des sushis, elle va me tuer, cette petite. J'aimais bien les sushis au foie gras, c'était dégoûtant mais si bon, c'était la mode ici l'an dernier. Ils m'ont l'air très *fusion food* désormais, ce sont bien ces petits plateaux qu'on appelle des bentos… Isidore ?»

C'était Lupin, sous les traits d'un homme d'affaires en costume anthracite, la chemise marquée d'un petit monogramme AL brodé ton sur ton, sommé d'une couronne de marquis. Il tendit la main, sourcils froncés : «Arthur de Launay, collectionneur, membre du conseil d'administration de la Société des amis du Louvre», et il éclata de rire, et la vendeuse de bentos avec lui.

Beautrelet avait trouvé. Grâce à la jeune Japonaise. Lupin savait que le jeune homme allait comprendre. Il savait quand, il avait calculé juste. Il était entré dans son cerveau, dans sa logique, dans ses habitudes. Il était déjà là. Il avait deviné que Beautrelet descendrait déjeuner. Il l'attendait. Il le regardait en jubilant, comme s'il lisait aussi dans son regard un peu vague sa déconvenue et son triomphe.

Paul triomphait, il avait trouvé – et Isidore, en lui, au même instant, face à Lupin qui l'attendait sourire aux lèvres, blêmissait de rage.

Il s'imposa de rester trois minutes entières sans parler. Cette unité des trois minutes de réflexion, il y tenait. C'est comme cela qu'il gagnait. Il regarda Lupin, puis la petite ingénue, à laquelle le cambrioleur avait peut-être soufflé sa phrase sur sa chanteuse favorite, il leur sourit pour gagner, contre eux, ces trois minutes durant lesquelles son cerveau fonctionna à fond.

Beautrelet fit mine de contempler les murs peints en rose, les tabourets blancs où il allait s'asseoir dans deux minutes trente avec Lupin, la vitre qui montrait les passants indifférents : dans ce modeste décor du Planet Bento de la rue des Filles-du-Calvaire, allait se résoudre l'énigme qui intriguait la planète. À cent mètres, pas plus, de son antre.

Beautrelet inclina la tête, légèrement : l'anniversaire surprise de Naoko ! C'était cela en effet la première nouvelle qui était passée à la radio cette nuit-là, la seule information mondiale à laquelle il n'avait accordé aucune importance, le scoop qui faisait battre le cœur des jeunes filles de moins de douze ans et de quelques petites Japonaises sentimentales.

La suave chanteuse Naoko, la Nipponne à la voix d'or et aux six disques de platine, avait convié toutes les stars de la planète et les douze présidents des associations caritatives les plus importantes du monde dans un lieu tenu secret, pour fêter son anniversaire. Elle devait faire des cadeaux à tout le monde. Il n'avait pas vraiment écouté, mais il avait enregistré malgré lui ce que disait le reportage : chaque invité avait reçu un téléphone portable. À l'heure dite, un texto devait arriver donnant les instructions à suivre – une voiture devait conduire chacun des heureux de ce monde vers les aéroports. L'idée de Naoko était de leur faire prendre des avions de ligne, pas des jets privés, pour qu'ils se sentent dépaysés et qu'ils aient l'impression d'un départ en vacances, depuis Paris, Los Angeles, Londres, Caracas, Shanghai ou Yokohama vers la destination inconnue, dont chacun imaginait que ce serait une île de rêve, une station météo du pôle Sud ou un coin perdu de la Sicile. Tous ces avions convergeaient vers un aéroport mystérieux, où un gros jet privé attendait les invités pour les conduire vers la chanteuse.

« J'étais invité, tu comprends, Isidore, je préside, sous le nom d'Arthur de Launay, Emmaüs International, la société qui continue à grande échelle l'œuvre de mon ami l'abbé Pierre. Je ne me montre guère. Je m'entoure de personnalités médiatiques qui s'occupent de parrainer nos foyers dans chaque pays, Camilla, la duchesse de Cornouailles, pour le Royaume-Uni, tu vois le genre, et quelques autres bonnes copines. Naoko nous avait promis un chèque comme notre mouvement n'en a encore jamais reçu de personne. J'avais dit que je viendrais.

— Lupin ? Emmaüs ?

— Et pourquoi pas ? Naoko est fidèle et fiable – mais Lupin, tu comprends, Isidore, n'aime pas partir pour une destination inconnue, ne pas maîtriser l'organisation, ne pas savoir avec qui il voyage. J'ai fait faire mon enquête par ma petite bande de hackers, ces bandits du Web que j'ai mis sous contrat et que le FBI m'envie. Ils sont à l'affût de tout sur Internet.

— Incroyable. Ils sont nombreux ?

— Quatre. Ça suffit. J'ai surpris, grâce à eux, un message, une commande suspecte de TNT, acheminée vers l'Asie sans que je puisse savoir vers quelle ville exactement : l'avion partant d'un aéroport inconnu, qui devait nous mener à destination, contiendrait une bombe. J'en ai été certain tout de suite. Comme le jet serait celui de Naoko, il ne serait pas vraiment fouillé. Les terroristes ont parfois du goût : ils s'apprêtaient à détruire la centaine de chanteurs qui vendent le plus de disques aujourd'hui. Mais, crebleu, ils allaient faire périr aussi les présidents des grandes fondations, celles qui redistribuent le plus d'argent à ceux qui en ont besoin, et parmi eux, ils allaient me tuer, moi.

— On ne tue pas Lupin.

— Ni les autres ! Il y avait même dans cet avion ta vieille amie Joséphine Balsamo. Tu sais que son laboratoire de recherche pharmaceutique fait beaucoup de bien en Afrique de l'Ouest ? Les bonnes œuvres de cette vieille rouée ! Quand je pense que tu as failli céder à ses charmes, Isidore... Je comprends bien qu'on aime les femmes plus âgées, mais celle-là, elle est patrimoniale, tu sais qu'elle faisait déjà scandale sous la Régence. On disait qu'elle dépassait en effronterie Mlle de Charolais...

— Épargnez-moi vos digressions historiques.

— De quel aéroport partirait le jet de Naoko ? Je n'arrivais pas à le savoir. Elle en possède cinq, un par continent, tous rose et jaune, du meilleur goût. J'ai fait enquêter dans les cinq grands aéroports où on les voit le plus souvent, les pilotes, que j'ai soudoyés, devaient recevoir les instructions au dernier moment, et sur des téléphones sécurisés qui leur seraient donnés dix minutes avant le décollage. Un seul partirait. Il fallait donc que je sache si l'avion meurtrier se trouverait à Londres, Canberra, Pékin… Tu aurais fait quoi à ma place ?

— Chaque vedette sur cette terre a son groupe de cinglés qui la piste, la suit, la photographie, et met les photos sur Facebook. Dans tous les aéroports du monde, il y a toujours le badaud qui reconnaît Machin ou Truc, Céline Dion ou Justin Bieber, et qui fait une photo. Ces photos, sur Facebook, sont mises en ligne en temps réel. En localisant, dans les aéroports de départ, une trentaine des vedettes invitées à l'anniversaire, on pouvait savoir vers quelle destination elles convergeaient. Seul problème, les pages où se trouveraient, durant la même demi-heure, toutes ces photos de fans stupides, seront des pages d'inconnus. Même si le fan "identifie" son héros sur la photo, il faut que cette "identification d'ami" soit validée pour qu'elle devienne visible… Il fallait donc posséder le réseau et y lancer une demande de reconnaissance faciale générale pour une dizaine de personnes… C'est compliqué. Je ne vous soupçonnais pas de tels moyens. Il faut bien connaître le gros ordinateur de Palo Alto…

— Pas mal, Isidore. »

La jeune Japonaise avait posé les deux plateaux « shokado » devant eux et servi du thé vert. Comme il n'y avait pas d'autres clients, elle restait debout, devant leur table, à les écouter en souriant, ce qui ne semblait pas déranger Lupin. Il expliqua qu'en douze minutes seulement, il avait localisé dix chanteurs dans les grands aéroports du monde, et qu'il avait pu établir que leurs vols les conduisaient à Pékin. Sur l'aéroport de Pékin, il avait fait stopper l'avion personnel de Naoko. Il ne contenait pas encore la charge meurtrière, qui devait sans doute y être introduite par une des valises.

« J'ai besoin de toi, mon petit Isidore. J'ai sauvé le monde et personne ne s'en est aperçu. Je me suis récompensé moi-même, j'ai passé vingt-quatre heures en immersion dans les petits tas de secrets de tout un chacun. J'ai lu les conversations des gens qui m'intéressent, des femmes qui me promettent que je suis le seul, des plus jolies actrices du monde, j'ai regardé les photos de l'inspecteur Ganimarion à la plage avec sa femme et j'ai mis de côté, à toutes fins utiles, les photos de lui qu'il envoie à d'autres, en messages privés bien sûr, dans des tenues qui ne sont pas celles de la police. Il n'a pas maigri, Ganimarion, malgré le régime hyperprotéiné qu'il s'inflige… Le réseau, s'il est entièrement débranché, ne peut être réactivé que vingt-quatre heures après, pour que la synchronisation puisse se rétablir, je n'y connais rien, je répète, on m'a dit ça, ils sont très savants ces jeunes gens, tu sais…

— Et maintenant ?

— Maintenant, on va faire la fête. On file au Bourget, un avion nous attend, on sera en Chine tout à l'heure, tu vas adorer Naoko. Elle va nous donner le chèque…

— Lupin, l'argent d'Emmaüs..

— Est sacré. L'abbé Pierre nous a à l'œil du haut du balcon du ciel, comme dit joliment le pape ! Tu sais que c'était un copain, le saint abbé, je l'avais aidé dès l'hiver 54, je lui avais donné l'idée de la fausse barbe pour la télévision, ça a bien marché. Roland Barthes était de mon avis, mais tu as lu Barthes, toi ? Tu es trop jeune. C'est chez moi, à Saint-Wandrille, mon abbaye, la voisine de Jumièges, que l'abbé s'était retiré à la fin de sa vie. Des ruines sublimes que j'avais louées en son temps à Georgette Leblanc, la grande comédienne, sœur de mon ami Maurice, et à son amant Maurice Maeterlink, tu sais, le poète belge prix Nobel de littérature, tu ne l'as pas lu non plus ?

— Pas encore.

— À Saint-Wandrille Mitterrand venait voir l'abbé Pierre avec mon hélicoptère pour parler de la vie après la mort. Ça attirait les journalistes. Ils arrivaient, je crois, plus ou moins à la conclusion qu'on n'est sûr de rien. Les moines se plaignaient beaucoup… Non, j'ai d'autres ressources, figure-toi. Lupin ne prend pas l'or des chiffonniers.

— Je préfère.

— Naoko vient de me donner de quoi récompenser ceux qui m'ont aidé, mes relais à Palo Alto par exemple, qui ont été impeccables. Le petit Mark Zuckerberg, avec ses éternels T-shirts gris tellement ennuyeux, tu ne trouves pas, le génie qui a inventé tout ça, m'a dit qu'il ne voulait pas d'argent, il aime montrer qu'il est un chic type, mais bon, il est l'homme le plus riche du monde. Il nous rejoint d'ailleurs, une relation qui peut être utile pour toi, tu sais…

— La fête a été reportée ?

— On va dans un des plus beaux endroits du monde, l'île chinoise de Hong Gao Yang, sublime de sauvagerie, personne ne connaît. Les touristes vont à Hainan, les pauvres. Sur les cartes officielles, je crois que Hong Gao Yang est un camp de travail, ça dissuade. La maison de Naoko vaut la peine, c'est pas vraiment le genre Étretat.

— Étretat, ça me plaît, enfin voyons, Lupin…

— Et si tu as envie d'emmener Mlle Miyako, ne te gêne pas, on a de la place. J'expliquerai les choses au tenancier de son Planet Bento, son père malade, un sushi pas frais, le voyage imprévu à Tokyo, elle reviendra dans une semaine. Elle est très amoureuse, tu sais, elle me l'a confié. Tu es son homme idéal, ton côté sucré-salé. J'ai huit heures de vol pour répondre à tes questions, à moins que tu ne préfères dormir, comme tu sais si bien le faire… »

Paul regardait Miyako. Il semblait voir pour la première fois la couleur de ses yeux, des yeux verts, c'était rare, ça, pour une Japonaise. En un instant, elle était déjà dehors, et c'était lui qui la suivait.

Chapitre 3

La demoiselle aux yeux verts

À Tokyo, le studio de Juzo Tadamishi, le créateur de bandes dessinées mondialement connu, est discret. Dernier étage d'une tour blanche, avec des fenêtres en forme de cases de mangas, ouvrant sur la ville immense. Qui penserait que, dans ce banal appartement, le vieux dessinateur travaille, avec ses deux assistants qui encrent ses crayonnés et viennent lui montrer le résultat, planche par planche. La couleur, le maître l'applique lui-même, avec des pinceaux traditionnels, dont certains remontent à ses années d'études à l'École des beaux-arts, à Paris.

Pour la première fois, Tadamishi va exposer, chez lui, discrètement, les planches originales de son prochain album *Un autre quartier* – sur les murs de sa petite salle de travail. Tous les grands collectionneurs se sont annoncés. Tadamishi n'a jamais vendu aucune de ses planches, mais on murmure que cette exposition est un test, il veut voir quel est son vrai rayonnement auprès de ceux qui arbitrent ce petit

secteur du marché de l'art sur lequel les investisseurs
misent des sommes de plus en plus importantes.

Lupin rêve de lui faire adapter quelques-unes
de ses aventures. Depuis les années 1960, il a été
transformé en manga, on lui a même donné un fils
et un petit-fils, de pure fiction, il a aussi fait l'objet
de plusieurs dessins d'animation, plutôt jolis, son
nom est célèbre dans tout le pays du Soleil-Levant
– mais ces transpositions sont si loin de sa réalité…
Il s'est amusé à collectionner tous ces produits déri-
vés de sa célébrité. Si Tadamishi voulait bien illustrer
quelques-uns de ses exploits, ce serait autre chose !
Il faut pour cela le convaincre. Le gentleman-cambrioleur n'a jamais résidé bien longtemps au Japon,
ce n'est pas son monde. Il a décidé d'y aller cette
fois, mais pas pour voler : pour séduire le vieux et
vénérable Juzo. Ce qu'aime Lupin chez lui c'est
que son dessin se reconnaît tout de suite : il a intégré aux mangas des citations de la bande dessinée
européenne, la ligne claire de l'école d'Hergé, et
c'est comme ça qu'il a fait la conquête du monde.
Des vieux quartiers de Tokyo aux *calle* de Venise, ses
albums en grisaille ou en sépia, avec ses personnages
nostalgiques, montrent pourtant la vie d'aujourd'hui.
Chaque case est structurée par les fans. Tadamishi
s'amuse toujours. Il ne se prend pas au sérieux. Il
ajoute des détails incongrus. Sa passion c'est l'architecture, les objets usuels, tout ce qu'on n'aurait
pas forcément l'idée de regarder. Les passionnés ont
démontré qu'il avait représenté au fil de ses livres
une vingtaine de châteaux d'eau différents – sans

que cela serve à ses histoires, juste comme s'il avait voulu faire passer à la postérité une typologie complète de ces édifices au début du xxie siècle. Sur les forums, sur Internet, ce genre de chose est commenté jusqu'à épuisement du lecteur.

Dès qu'un album sort, une armée d'internautes fous répertorie ainsi ses détails : les cheminées vénitiennes, les bus irlandais, les cannettes de soda préférées des adolescents du nouveau Japon... Depuis peu, il ose des couleurs plus fortes, pour mettre en valeur ses blancs. Les éditions rares, les tirages de tête numérotés, parfois enrichis de dédicaces et de dessins à la plume, sont présents dans les grandes collections. Depuis qu'il a été le parrain du Festival d'Angoulême, les Français en sont fous. Lupin avait repéré son talent de longue date.

Tous ceux qui sont arrivés la veille à Tokyo pour l'événement sont très riches, et se sentent jeunes : une bande d'adolescents prolongés devenus les chefs de très grandes entreprises et qui, plutôt que d'acheter des Rolex, des tableaux de maître ou des photographies contemporaines pour faire chic sans rien y comprendre, préfèrent investir dans leurs vraies passions de jeunesse. Certains ont commencé très tôt, à une époque où les grandes planches de Moebius, d'Edgar P. Jacobs ou de Chaland étaient encore en circulation – aujourd'hui ils font monter des enchères irrationnelles quand passe en vente une feuille dessinée par Hergé pour la page de garde d'un album, car les dessins d'Hergé, propriété de la fondation qui porte son nom, ne sont pas susceptibles d'être vendus. C'est comme les petits chapeaux de Napoléon, tous les collectionneurs fous savent combien il en reste en circulation, qui les possède, quand on pourra espérer en voir un passer en vente.

Lupin a eu envie de venir à Tokyo : il a été invité, parmi les grands collectionneurs, et ce n'est pas un déguisement, sa collection est une des plus complètes qui soit. Qui reconnaîtrait pourtant le gentleman dans ce milliardaire californien en jogging et lunettes rondes, qui tend la main à tout le monde et désarme les préventions par son sourire sympathique ? Les bandes dessinées, dans son enfance, chez les Dreux-Soubise, c'est tout ce qu'on lui donnait comme livres. Sa mère, recueillie par sa cousine fortunée qui l'avait transformée en couturière, lui achetait toujours un numéro de *L'Épatant*, ou un volume des *Pieds Nickelés*. Ce sont des souvenirs qui lui brisent le cœur, et qu'il ne peut partager avec aucune des femmes qui traversent sa vie d'aventures : s'il en parle, on va encore lui demander son âge, et ça, ce n'est vraiment pas la question à poser... Il rompt tout de suite, et pleure après.

*

Ni Tadamishi ni ses assistants ne se doutent qu'il est venu à Tokyo avec les trois meilleurs de sa troupe, Karim, rescapé des émeutes de Stains, Jacques, dit Grognard, un prof d'histoire qui a fini par déserter l'enseignement, et Sabine, la seule fille

de la «bande à Lupin», championne de patinage
artistique, architecte diplômée par le gouvernement
et pilote d'hélicoptère.

Pour le moment, ils sont à l'hôtel, attendant les
instructions du patron. Ça leur fait des vacances,
après l'enlèvement de la délicieuse Liliane
Harnoncourt, que Lupin a traitée avec beaucoup
d'égards, et le cambriolage des bronzes du Bénin du
British Museum, restitués à leur site d'origine, dans
le petit musée du palais d'Abomey, devenu du jour
au lendemain le pôle d'activité économique principal de toute cette région d'Afrique. Dans la bande à
Lupin, on ne perd pas son temps.

À l'aéroport, Jacques s'est acheté, parce qu'il
n'en avait plus, les deux parfums de Guerlain qui
s'appellent *Arsène Lupin* – le patron touche-t-il un
pourcentage? À Noël dernier, il en avait offert à
toute la bande, Sabine comprise, qui porte des eaux
de toilette masculines. Le nez de la maison en a créé
deux, *Arsène Lupin Dandy*, avec une note de violette,
pour les soirées élégantes, et *Arsène Lupin Voyou*,
qui selon Jacques est le parfum pour homme idéal,
inutile de chercher mieux. Karim, qui prône le savon
de Marseille et puis c'est tout, se moque beaucoup de
Jacques, celui-ci n'en a cure, et vaporise à tout-va. Le
patron a pourtant dit: «Mettez-en moins, le patchouli
va vous trahir, c'est une odeur qui finira par nous
dénoncer, les enfants…»

*

Les planches de cette aventure, qui montrent le Japon d'aujourd'hui, ont été finies par Tadamishi la veille, sur cet épais papier chiffon qui fait s'illuminer ses jaunes pâles, ses gris, ses rouge sang. Elles n'ont pas encore été envoyées à la photogravure : l'album qui se déroule sur les murs blancs de la grande salle de réunion est bel et bien un exemplaire unique, iné- dit, jamais vu – ce qui ajoute à la magie du moment, et au privilège qu'ont les vingt-cinq teenagers pro- longés cousus d'or qui ont fait le voyage pour pou- voir vivre cette aventure intérieure : être les premiers à découvrir, dans le recueillement le plus absolu, ce qui sera certainement un succès planétaire, le nou- veau Tadamishi.

Au premier rang, François-Étienne Trévignon, l'empereur de la grande distribution, excellent connaisseur en ce domaine – il possède des dessins de tous les plus grands. Très bronzé, en costume bleu, il se promène devant les planches encadrées, l'air soucieux, le nez sur les feuilles. Tadamishi, chemise à fleurs hawaïenne, pantalon Kenzo noir et catogan, sort de son bureau pour le saluer d'abord. Les deux hommes se connaissent bien, semble-t-il. Puis le maître, entouré de ses deux assistants, salue les autres.

Se trouvent réunis dans cette pièce qui n'est pas si grande un baron belge venu en yacht de compé- tition, très connu dans le milieu de l'art contempo- rain chinois dont il est le marchand privilégié pour l'Europe, un ancien ministre de la Culture italien, une directrice de société forestière du Canada, très bûcheronne en effet, la conservatrice du département architecture et design du musée d'Art moderne de New York... Son visage est connu : elle vient de faire un coup en annonçant l'acquisition pour son musée de vingt jeux vidéo produits ces deux dernières années. Autour d'elle, affairés, une dizaine d'autres grands amateurs de BD, plus ou moins vieillissants et costumés comme s'ils avaient vingt-cinq ans : un antiquaire du quai Voltaire qui a compris qu'on ne fait plus fortune avec des commodes Louis XV, ou ce Californien à lunettes, à côté de lui, que Tadamishi ne connaît pas encore.

L'homme regarde le Japonais bien en face et explique comment il est venu à lui après son album sur Venise et que désormais, pour lui, il est le dernier des grands, le seul à savoir représenter les bâtiments, les larges paysages, les ciels avec leurs nuages.

Tadamishi reste interloqué : ce Californien parle un japonais très convenable, sans le moindre accent traînant à l'américaine. Et cet inconnu ajoute qu'à Paris, où il réside souvent, il est devenu un ami de sa fille Miyako.

Pendant cette lente cérémonie de salutations et présentations, François-Étienne Trévignon – ses amis l'appellent François, il utilise un prénom double pour se distinguer de son père, François Trévignon, le fondateur de l'entreprise – a commencé à lire les pages, à les regarder.

Il se rend compte assez vite que le papier est anormalement brillant. Il n'ose pas formuler la pensée qui lui vient : on dirait que ce sont des photocopies.

Comme si le maître avait modifié ses procédés, ou posé un vernis sur ses feuilles, pour empêcher peut-être que les couleurs ne virent. Il hésite à poser la question à voix haute. Son téléphone vibre dans sa poche ; machinalement, il regarde.

Le message qui s'affiche tient en peu de mots : « Arsène Lupin reviendra quand les dessins seront authentiques. »

Aucun nom ne s'inscrit sur l'écran, le numéro de l'expéditeur ne figure pas dans son répertoire, mais il a son idée.

Il répond vite, dans la paume de sa main : un point-virgule et une parenthèse, ce clin d'œil, équivalent du « point d'ironie » que les linguistes ont cherché durant des siècles, que les adolescents des années 2010 ont imposé et qui est sans doute la dernière chance de survie du point-virgule au XXIe siècle.

Un bip vingt-huit secondes plus tard lui indique laquelle des personnes présentes dans la pièce vient de recevoir son message ; c'est l'Américain à lunettes.

Il va vers lui, lui tend la main :

« Vous ?

— Et pourquoi pas ?

— Tant que vous ne vous lancez pas dans les cambriolages de grandes surfaces, soyons amis. Je pense comme vous. Tadamishi nous prend pour des pigeons, ce n'est pourtant pas son genre, il est sérieux dans son travail. J'aime beaucoup cet homme.

— Merci. Pour les hypermarchés, vous avez ma parole, tant que vous continuez à baisser les prix au maximum. Cher Tadamishi, quand nous montrerez-vous vos véritables nouvelles œuvres ?»

Le vieux Japonais s'est effondré. Son regard si malicieux s'est fermé. Il s'est approché d'une des vitres antireflets qui protègent les planches. Il vient de se rendre compte de la substitution. Les encadrements et l'accrochage ont été faits en sa présence, ici même, par ses deux assistants et sa propre fille ; à aucun moment les feuilles n'ont pu être remplacées. À l'évidence, celles-ci sont fausses, et sortent d'une des grosses photocopieuses de l'étage, qui débitent des reproductions de grande qualité, indispensables pour suivre les étapes du travail, le passage du crayonné à l'encrage, la réalisation des transparents avant la mise en couleurs...

Le maître s'assied, prend la parole, explique qu'il n'y peut rien, que ce vol est pour lui une catastrophe : pour lancer la fabrication de l'album, il lui faut absolument les dessins originaux. Il est extrêmement méticuleux, il contrôle toutes les étapes de l'impression : son photograveur ne pourra rien faire de bon à partir de ces pages un peu luisantes sorties d'une machine. Il y a même des zones où le dessin est pixellisé. On ne peut pas bien imprimer, à des milliers d'exemplaires, à partir d'une reproduction. Il vient de perdre deux années de travail. Il murmure :

«Qui peut m'aider ? Qui parmi vous peut retrouver les quarante-cinq dessins d'*Un autre quartier* ?

— Vous êtes sûr de vos assistants ? demande le collectionneur belge.

— Ils travaillent avec moi depuis dix ans. Vous pouvez les interroger, ils sont ma famille… »

Une jeune femme entre, attirée sans doute par le silence qui s'est fait et sur lequel se détache la voix cassée du dessinateur. Respectueuse, en jeune Japonaise bien élevée, elle n'avait pas voulu paraître d'abord devant ces admirateurs de son père. Elle n'a presque pas fait de bruit en ouvrant la porte, mais tout le monde a tourné la tête.

Les cheveux tirés en arrière, en jean noir et T-shirt blanc, Miyako frappe par sa simplicité. La collectionneuse canadienne sourit. La jeune Japonaise aux yeux verts sourit à son tour, mais en direction d'un des hommes présents. Elle le regarde en riant presque :

« Vous préférez les sauces salées ou sucrées, je ne sais plus », énonça-t-elle dans un français doucement modulé.

Elle a reconnu tout de suite, malgré sa métamorphose vestimentaire et ses nouvelles lunettes à la Harry Potter, celui qui venait de temps en temps lui parler quand, étudiante à Paris, elle était serveuse au restaurant Planet Bento de la rue des Filles-du-Calvaire, l'homme qui l'avait entraînée dans cet incroyable voyage en Chine dans un avion rempli de milliardaires et de mécènes en goguette.

Elle savait qu'il viendrait, et se demandait bien sous quelle apparence et quelle identité. Il était un autre. Sa poignée de main était restée la même, elle la fit durer trois secondes de plus qu'il n'était nécessaire.

*

Mlle Miyako se souvenait en souriant de ces quelques mois à Paris pendant lesquels elle avait été la petite amie d'Isidore Beautrelet, au retour de cette équipée impromptue pour l'anniversaire de la chanteuse Naoko. Isidore lui manque, avec son sérieux, ses silences, ses enthousiasmes. À chaque fois qu'ils faisaient l'amour, il lui demandait de l'appeler Paul, étrange garçon.

Lupin, sous son déguisement, a pris son air sombre : il n'aime pas beaucoup se faire doubler.

Le vol des quarante-cinq pages les plus attendues par l'édition mondiale pour la rentrée prochaine, il avait bien l'intention de l'accomplir, avec ses troupes, et le soir même. Les droits de l'adaptation française ont déjà été achetés à la dernière Foire du livre de Francfort par Antoine Ganimarion, le frère de son inlassable adversaire, le Ganimarion de la police nationale. Lupin nourrissait le charitable projet de faire cracher le premier au bassinet, une somme dont il se souviendrait, et de ridiculiser une fois de plus le second, exquis coup double. Il avait déjà repéré les faiblesses de l'appartement, l'absence de caméras de surveillance, grave imprudence dans un atelier comme celui-ci – le monde de la bande dessinée semble ne pas avoir encore pris conscience des intérêts financiers qu'il met en jeu –, les cadres Ikea achetés tout faits, avec un système qui permet de décadrer très vite, sans outils, l'escalier de service qui part du petit vestibule, donnant sur la rue étroite derrière le bloc. Tout semblait tellement facile ! Un autre y était arrivé avant lui.

Miyako prend la parole :

« Père, non seulement ce ne sont pas les pages que nous avons accrochées ce matin, mais il en manque une, ici. »

À côté de la grande fenêtre, il y avait en effet un clou et un espace vide. Négligence du voleur ? La page qui n'a pas été remplacée est-elle plus importante que les autres ? Un amateur a-t-il fait la bêtise de voler un des cadres, après le remplacement, en croyant que la planche était authentique ? Miyako doit savoir si cette feuille-là avait un sens particulier, une importance pour l'histoire, et Tadamishi n'a peut-être pas envie de le dire.

Lupin se tait. C'est François-Étienne Trévignon qui prend la parole, parce qu'il est un homme d'action, mais aussi sans doute parce qu'il a envie de montrer au gentleman-cambrioleur que ce dernier n'a pas le monopole du raisonnement :

« Mon vieux Juzo, nous sommes tous ici prêts à t'aider. Il faut que tu nous dises ce que représentait la page qui a disparu. Tu dois avoir ici tes crayonnés, tes brouillons, le synopsis. Quelqu'un ne veut pas que ton album *Un autre quartier* soit publié, pourquoi ? Je ne lis pas le japonais, même si je le parle un peu. Quelle est l'histoire ? »

Tadamishi, prostré, assis sur une des chaises qui entourent la grande table blanche, se tait, son visage exprime une souffrance de samouraï. C'est Lupin qui prend la parole pour que le vieillard puisse garder la face, avec cette fois un ample accent californien :

« Je crois que j'ai un peu compris de quoi il s'agit tout à l'heure, pendant que nous attendions en regardant les œuvres. Le quartier dont vous parlez est un des plus connus de Tokyo, là où sont implantées trois des plus importantes yakusas, ces sociétés du crime organisé, la mafia japonaise, comme on dit pour aller vite. L'album n'en parle pas, c'est sans doute comme souvent chez vous, cher Tadamishi, l'histoire d'un jeune homme qui recherche les lieux où ses parents ont vécu.

— Ils sont morts à Fukushima, ajoute alors Miyako, ils travaillaient à la centrale tous les deux, il est orphelin, il regrette l'époque où toute la famille était heureuse à Tokyo. C'est comme une fable : la ville ultramoderne devient le havre de paix où perdurent l'enfance et les traditions, alors que la campagne autour de la ville ravagée par le tremblement de terre et l'explosion de la centrale nucléaire est l'image de toutes les horreurs qui menacent le monde. Rien ne me semble explicite dans le texte au sujet de la mafia, mais vous avez raison, c'est leur décor, c'est leur domaine, aucun doute…

— Alors c'est clair, dit la Canadienne. Tadamishi est l'exactitude même, il a dû reproduire avec un réalisme absolu leurs maisons, les entrées, les sorties… Il a voulu dénoncer ces syndicats du vol et du meurtre, faire un album militant, et ils n'ont pas supporté. Nous devons l'aider. Il faut que ce livre paraisse.

— La mafia japonaise n'est pas comparable à son aimable pendant sicilien, auquel nul n'a jamais osé s'attaquer, dit Lupin, prenant l'air modeste de celui qui trouve que ce serait quand même tentant d'essayer. Les yakusas, ici, on connaît leurs adresses, les noms des chefs… Les immeubles qui leur servent de siège social n'ont rien de secret. Tadamishi n'a pas brisé de pacte de silence : il suffit de taper le nom d'une de ces sociétés sur Internet et on obtient l'adresse, la photo de la façade, et avec Google Maps une jolie vue aérienne qu'on peut agrandir à volonté. Qu'un album de dénonciation soit mal accepté par ces messieurs, je le conçois, et qu'ils aient voulu tuer le livre avant sa sortie, c'est bien possible. Mais ça ne nous dit pas ce que représentait l'image manquante, pourquoi elle ne devait pas être vue, même en photocopie. Vous seul, Juzo, avez la réponse. Il faut nous montrer les dessins préparatoires, le transparent qui a servi pour la mise en couleurs… Vous voulez bien ?

— Je n'ai rien dessiné de différent sur cette planche-là, je vous assure. Un building, une rue animée, je dois avoir encore les photos de repérage que j'ai utilisées. Venez voir, tout se trouve dans mon bureau. Je n'ai rien à vous cacher, mes chers amis, vous êtes ici parce que vous m'aimez, vous savez tout de mes modestes œuvres passées, vous comprenez tout, je le vois – et dans mon malheur immense, c'est une grande émotion pour le vieil homme que je suis. »

*

À l'hôtel, à trois blocs du studio Tadamishi, Sabine, Jacques dit Grognard et Karim attendaient les instructions du patron. Sabine fumait une cigarette électronique en prenant devant la glace des poses de femme fatale. Très Beauvoir, elle nouait en turban années vingt son écharpe de soie rouge.

Les deux autres jouaient, chacun de son côté, à des jeux stupides sur leurs téléphones. Lupin leur avait interdit les textos en style télégraphique : «Faites des phrases, tas d'illettrés, vous êtes de ma bande, un peu de tenue ! N'oubliez jamais que la Société des amis d'Arsène Lupin compte quatre académiciens français dans ses rangs ! Un peu de syntaxe, que diable, ça n'a jamais nui à personne ! »

Ils aimaient bien quand il imitait ainsi les inflexions du regretté Georges Descrières, au temps de l'ORTF, sous Charles X... Il leur interdisait aussi tous ces passe-temps de lycéens, le jeu Tokville et autres pitoyables Candytrash : il leur avait offert un coffret à l'ancienne en bois de rose avec des échecs, des dames et des dominos, dont ils riaient entre eux quand il n'était pas là.

Le plan était bien préparé, ils avaient même les trois valises à double fond – de vraies Vuitton, idéales pour passer inaperçu dans cette ville – qui serviraient à rapporter en Europe les quarante-cinq dessins. Ce soir, on passait à l'action.

Un message arriva sur le téléphone de Grognard : la localisation d'un immeuble à deux stations de métro de là, avec ce commentaire : «Savoir ce que c'est, qui y habite, qui y entre, qui en sort... »

Sept minutes plus tard, tous les trois étaient en faction, heureux d'être les éléments d'élite choisis par le prince des voleurs. Ils étaient une dizaine au total, en mission un peu partout dans le monde, pas plus, prêts à risquer leur vie.

Seulement, la planque ne donna rien. L'abribus voisin prit un parfum lupinien, mais les choses en restèrent là, et la fragrance se dissipa vite dans le vent. L'immeuble n'avait que deux sorties, des habitants paisibles, aucune trace ni de yakusa ni de gros bonnets de la finance, c'était un immeuble de rapport parmi d'autres – qui n'avait eu qu'un seul moment de gloire : quand Juzo Tadamishi l'avait photographié en vue d'en faire le décor de la planche 23 d'*Un autre quartier*.

Un nouveau texto du patron arriva sur le téléphone de Grognard, et le renvoya à ses jeux – même si le ton, impérieux, inhabituel, l'étonna : « Abandonnez immédiatement la maison et ce quartier. Retour à l'hôtel. C'est un ordre. » La planque avait duré trois quarts d'heure, pour rien, c'était un peu absurde. Le principe dans ce cas c'est de rester en observation jusqu'à ce qu'il se produise un élément nouveau. Le patron avait dû changer de cible : la maison n'était pas en cause...

*

À l'hôtel des milliardaires collectionneurs, pendant trois journées vides, Lupin, serein, sympathisa avec les autres, il devenait le meilleur ami de Trévignon, courait vingt kilomètres dans le parc voisin avant le petit déjeuner, imaginait d'acheter des actions d'exploitation forestière en Colombie-Britannique, racontait qu'il rêvait d'enlever aux enchères chez Sotheby's la semaine prochaine un feuillet du Codex de Léonard de Vinci montrant d'étonnants dessins de lunettes, peut-être l'invention de la stéréoscopie, pour regarder des images en relief bien avant la photo...

Il savait ce qu'il allait faire, et il ne le disait pas.

Il allait commettre d'abord une vraie mauvaise action. Pire qu'un crime, une faute – et de la pire espèce au Japon, une faute contre l'honneur.

La jeune Miyako avait envie de lui faire visiter sa ville. Il avait été si bon, à Paris, il y a deux ans, il l'avait emmenée au Louvre, au palais Garnier, au Petit Palais, qui était son musée favori, à la Fondation Cartier et au marché aux puces. Elle ne s'était pas beaucoup posé de questions sur cet homme d'affaires plus âgé, rencontré quelques jours après son arrivée lors d'une soirée donnée à la Maison de la culture du Japon. Il semblait savoir en l'abordant qu'elle était la fille du grand Tadamishi, une petite princesse manga. Il n'avait jamais cherché à se comporter avec elle autrement qu'en parfait gentleman, et elle lui devait d'avoir trouvé un emploi dans ce restaurant. Elle tenait beaucoup, comme les Japonaises de bonne famille de la nouvelle génération, à ne pas accepter l'argent de son père pour la traditionnelle année en Europe. Ce petit restaurant avait fait son bonheur, puisqu'elle avait vite repéré parmi les habitués ce beau Paul-Isidore, son futur petit ami français.

Lupin souriait en la regardant : elle n'avait jamais songé, la chère enfant, que s'il l'avait aiguillée vers ce restaurant c'était bien pour que cette idylle se nouât. Elle avait joué son rôle dans la partie qui lui avait permis de soumettre le jeune chercheur – partie pas finie, puisqu'il n'avait pas encore livré tous ses secrets.

En attendant, Beautrelet était loin et Mlle Miyako était ici. Et Lupin était Lupin : elle l'avait toujours regardé à Paris comme un homme inaccessible, entouré de femmes sophistiquées avec lesquelles elle ne pourrait jamais rivaliser. Ici, il était depuis trois jours le preux guerrier qui avait juré de défendre son père. Il était en baskets et en T-shirt, elle le trouvait plus proche d'elle, plus beau. Elle était déjà conquise quand, le second soir, il l'invita à dîner.

Bien sûr, ça n'était pas bien : piquer sa petite amie à Beautrelet, quand on s'appelle Arsène Lupin, ça n'est pas digne. Mais la demoiselle aux yeux verts était si jolie, si simple, si franche, le petit Paul-Isidore était si loin : qui le saurait ? Qui irait le lui dire ? Cela ne faisait-il pas quatre mois maintenant qu'ils avaient plus ou moins rompu ?

Beautrelet n'a rien à dire : ce que Lupin a donné, Lupin peut le reprendre – loué soit le nom de Lupin. Et c'est Miyako, d'elle-même, qui se pencha vers lui et l'embrassa.

*

Trévignon croyait fermement à la piste des yaku-sas, même si Tadamishi niait avoir signé un album militant : pour l'artiste ce quartier avait été traité comme un autre, cela l'avait amusé de dessiner les maisons des sociétés secrètes – comme au Japon elles sont publiques, cela ne présentait aucun danger...

Un de ses amis journalistes venait de lui envoyer un message pour l'aviser que Ganimarion, alerté par son éditeur de frère, qui risquait de perdre gros dans cette affaire, interrompait sa cure annuelle à Contrexéville et serait le lendemain à Tokyo. On allait voir ce qu'on allait voir. Pour Lupin, cela vou-lait dire qu'il fallait retrouver le coupable avant.

Cela lui laissait vingt-quatre heures, afin que l'inlassable Ganimarion arrive juste à temps pour constater qu'il avait fait le voyage pour rien et reparte, comme toujours, la queue basse.

Vingt-quatre heures c'est beaucoup trop, et pour occuper sa journée, en attendant de triompher, il découvrait le Musée national et son excellent restau-rant, guidé par son nouvel amour, la demoiselle aux yeux verts.

C'est là, dans la grande salle des peintures, devant les rouleaux ouverts dans la pénombre, qu'ils tom-bèrent sur Trévignon, qui se livrait de son côté aux mêmes activités touristiques :

« Ce pauvre Ganimarion se prend pour Hercule Poirot ! Il nous a donné rendez-vous à midi, à nous tous, vous compris, Lup..., oups, pardon, Bill, mon cher, le grand Tadamishi, qui ne se remet pas, vous aussi, Miyako, il a demandé que la fille du

dessinateur soit là, notre groupe de collectionneurs
au complet comme si nous étions tous suspects, il est
gonflé ! Vous croyez qu'il va nous asseoir autour de
la table, prendre la parole en lissant sa moustache et
révéler le nom du coupable ? Ça va m'amuser de voir
qu'il va rater l'occasion de sa vie d'arrêter Lupin, et
qu'il ne nous dira rien de plus sur le vol des dessins.
Comptez bien entendu sur ma totale discrétion, je
suis trop votre admirateur pour ne pas avoir envie de
devenir, pour une journée, votre complice. »

Trévignon, en resservant Lupin, au restaurant qui
se trouvait sur le toit, avait bien résumé la situation.
Il en tirait une conclusion ingénieuse. Les yakusas
n'aiment pas qu'on se moque de leurs petits clubs
de réflexion. Le choix d'immeubles effectué lors
de ses repérages par Tadamishi, quelles que soient
ses intentions, ne pouvait que leur déplaire. Même
si ses images ne pouvaient être que de peu d'utilité
pour la police, même si elles ne contenaient ni secret
ni dénonciation en règle, elles étaient une forme
d'agression. Qu'on dise leurs adresses à voix basse
en passant devant leurs barres d'immeubles c'était
une chose, qu'on livre à tous les lecteurs du monde
un relevé exact de leurs façades, ascenseurs, ter-
rasses et autres escaliers de secours, la plaisanterie
était peut-être un peu forte… Quant à la planche
manquante, elle était sans doute, dans son genre, pire
que les autres, elle montrait certainement l'immeuble
d'un très puissant grand maître…

Trévignon sentait que la solution approchait.
Il suggéra d'aller poser quelques questions au

dessinateur, qui sans doute ne disait pas tout. Pour se moquer ainsi de ces réseaux si puissants, il faut avoir de bonnes raisons.

La demoiselle aux yeux verts s'effaça, prétextant qu'elle devait aller retrouver une amie de l'université – elle ne voulait pas que Trévignon puisse penser qu'elle était pour « Bill » un peu plus qu'une cicérone dans les musées. Elle avait peut-être aussi envie d'être seule. Ils regardèrent sa silhouette s'éloigner dans la marée des passants.

*

Ils trouvèrent leur hôte, comme tous les après-midi, faisant du sport lentement, avec une précision d'équilibriste, dans le petit jardin public en bas de sa maison. Il ne s'interrompit pas pour les saluer. Il était comme sous hypnose, en communion avec les arbres et les fleurs.

Lupin semblait connaître ces méthodes proches du tai-chi qui procurent le calme et redonnent de la tonicité aux muscles. Il commença, sans parler, à exécuter des mouvements, en réponse à ceux du vieillard. Ils dansaient tous les deux, au ralenti, sous les branches, et au bout de cinq minutes, le dessinateur commença à sourire, comprenant qu'il avait affaire à un expert. Rares sont les Américains qui pratiquent aussi bien les sports traditionnels du Japon.

« Nous pensons que les yakusas vous menacent, attaqua Trévignon sans attendre, interrompant cette scène de cinéma muet dont il ne savait pas si elle était comique ou poétique.

— Pourquoi croyez-vous cela, mes bien chers amis ?

— Vous les avez tournés en ridicule…

— Pas du tout. Je vous dois enfin la vérité tout entière. Mon album au contraire est une visite guidée cachée de leurs demeures. Mais jamais je ne montre l'intérieur. Je ne parle pas d'eux. Ils me protègent, vous savez…

— Ce sont vos alliés ?

— On ne fait pas d'affaires ici sans avoir conclu un contrat avec les yakusas. Cela fait dix ans qu'ils veillent sur moi. Je leur dois mon premier succès. J'ai dépensé beaucoup pour eux, mais je n'ai aucun regret. J'ai fait fortune… Vous cherchez dans une mauvaise direction, mes chers et honorables amis. »

La nouvelle n'étonna pas Lupin. Tous les Japonais riches et puissants qu'il avait rencontrés avaient plus ou moins conclu des alliances non écrites avec ces hommes qui n'étaient ni des gentlemen ni des cambrioleurs, et qui n'hésitaient pas à tuer. C'est une des raisons pour lesquelles il n'avait jamais lancé ses filets du côté du Japon.

Lupin avait d'abord fait mine d'approuver cette hypothèse. Si les yakuzas avaient vraiment volé Tadamishi, il suffisait de laisser la police de Tokyo faire son travail.

L'artiste, tranquille comme Baptiste, retourna à ses échauffements et à ses tractions. Il était clair qu'il

avait trouvé ainsi une des manières les plus simples
de vivre cent ans.

« Vous n'avez pas insisté, Bill, demanda Trévignon
en suivant Lupin qui sautillait comme un gamin sur
les trottoirs, quand je l'ai attaqué frontalement. Je ne
suis pas certain qu'il ne nous ait pas menti. Si ça se
trouve il est lui-même un des grands maîtres... Il veut
simplement faire monter sa cote. Il a bien orchestré
cela : il réunit notre petit groupe, venu de tous les
pays, il fait en sorte que nous soyons les témoins d'un
vol spectaculaire. Si les planches reparaissent, et il les
fera sortir quand il voudra, elles vaudront une fortune.
S'il les rachète lui-même, il leur donne une cote déli-
rante, mais qui ne sera que le socle de la bataille qui
suivra en salle des ventes... Nous aurons contribué
à rendre mythique son album. Et il signe son forfait
en rendant hommage, à l'arrière-plan de ses dessins,
aux groupes sur lesquels il s'est appuyé pour devenir
célèbre. C'est lui-même le coupable. Il se moque de
nous. Nous devons trouver un moyen de le confondre
vite avant d'être tous ridicules. »
Lupin continuait à marcher en dansant, cabriolant
entre les réverbères, il avait l'air de jubiler, chantant
du Sinatra en plein soleil. Il attendit un peu avant de
reprendre la parole :
« Je ne crois pas, François, j'ai quelques agents
à moi ici, j'ai photographié chaque planche l'autre
jour avec mon téléphone, devant vous tous sans que
personne s'en aperçoive, vous étiez si agités... Ces
images leur ont permis d'identifier et de situer les

fameux immeubles. En effet, Tadamishi s'est amusé, il n'y a pas de doute, c'est en plein dans le quartier des plus terribles yakusas. Mais ce n'est pas le cas de tous les buildings… La maison qui manque n'est sur aucune liste de demeures mafieuses : elle a une autre histoire. Que le vieil artiste soit un peu bandit ne me gêne pas…

— Certes. Vous avez une autre hypothèse.

— C'est bien fait, Google, vous savez : on a un immeuble en photo, on le retrouve, on le situe, et surtout on est renvoyé en deux clics à des articles qui en parlent.

— Moi je suis d'une autre école, je découpe dans les journaux auxquels je suis abonné et que je reçois avec mon courrier du matin, eh oui mon vieux, à l'ancienne, les papiers qui m'intéressent. Je les colle dans des cahiers depuis que je suis étudiant. J'en ai un mur entier dans mon bureau. Je peux retrouver n'importe quelle information qui m'intéresse ou qui a retenu mon attention en cinq minutes. Vous savez, mon système archaïque n'est pas mal… Je vous montrerai, à Paris.

— Votre méthode est excellente, mais pour trouver ce qu'on cherche. Ici, il nous faut trouver ce que nous ne cherchons pas, et Internet est, sans vouloir vous vexer, meilleur que vos archaïques et vénérables cahiers…

— Vous avez trouvé. Vous vous amusiez à me voir partir sur une mauvaise piste ?

— Je ne me serais pas permis. Je fais mes courses chez vous, vous savez, avec Trévignon c'est toujours bon. J'ai confiance. Mais j'ai trouvé, crebleu. Et c'est difficile à croire. »

*

Lupin, triomphal en rejoignant les autres devant le studio Tadamishi, expliqua à son nouvel ami que le vrai mystère n'était pas lié aux yakusas, mais au sujet même de l'album, fondamental pour le Japon contemporain : le tremblement de terre et l'accident nucléaire de Fukushima.

« La solution est presque toujours au cœur de l'affaire. Il n'y a que Sholmès pour penser qu'en abordant un problème par la périphérie on gagne du temps. Il me fait rire avec ses éternelles recherches de traces de boue et ses analyses de cendres de cigarette à la loupe binoculaire. Il suffit de regarder chaque problème en face, avec des idées simples. Tadamishi ne va pas tarder à revenir de sa gymnastique, il a en effet, je crois bien, beaucoup d'autres choses à nous dire… »

Après la catastrophe de Fukushima, des bruits étranges avaient couru, dont on trouvait de nombreux échos sur tous les forums des associations écologistes, selon lesquels le nuage contaminé ne s'était pas arrêté à la zone évacuée. Il se serait promené, au gré des vents mauvais.

Le nuage serait passé sur Tokyo.

Les adeptes de la théorie du complot soutenaient l'idée que la capitale avait été irradiée, et que ni le gouvernement, ni les médias, ni les « experts » ne l'avaient dit.

Tokyo contaminé, cela signifiait la mort de l'économie japonaise, la fin du pays… Les dirigeants de Pékin, qui toussaient au milieu de leur pollution aux gaz d'échappement, auraient eu de quoi triompher.

Arsène-Bill Lupin et François-Étienne Trévignon entraient dans la salle de réunion, où les autres avaient déjà trouvé place.

Tadamishi était là, il s'était changé et avait revêtu une blouse noire d'artiste à l'ancienne :

« Il manque Miyako, cher maître. Dites à votre fille de venir, elle nous sera très utile. J'ai retrouvé vos planches. Je vais vous expliquer comment. »

*

Lupin aimait ces coups de théâtre. La demoiselle aux yeux verts entra et s'assit à la table.

Il prit la parole, sans la regarder, comme s'il continuait pour tous les autres la conversation qu'il avait commencée avec Trévignon :

« Un jeune journaliste japonais a prétendu qu'on pouvait prouver que Tokyo avait été touché par le nuage de Fukushima. Il avait même fait des photos de ce qu'il appelait, sur son site personnel, sa pièce à conviction, avant que la police ne le fasse taire. Ses photos, c'étaient celles d'une maison qui présentait un taux de radioactivité élevé. La police a vérifié en secret, c'était vrai… Ce jeune homme, Miyako le connaissait bien, et les photos qu'il avait faites, il les a apportées ici. Car c'est ici qu'il vivait, avec vous, au studio… Il était devenu, cher Juzo, votre photographe, celui qui vous aidait dans vos repérages..

— Oui, reconnaît Tadamishi. Je le sais bien. Tonio Kagawara. Le garçon est aujourd'hui en prison. C'est très injuste. Ses articles étaient fondés sur une rumeur. Le taux de contamination de la maison en question était dû à deux bâtonnets d'uranium, volés dans la centrale au moment de l'évacuation. Un vol très dangereux, fait par des experts, des étrangers... Ils avaient payé une personne déjà contaminée pour qu'elle introduise ces deux petits morceaux radioactifs, aussi discrets en apparence que des règles d'écolier, à Tokyo. La maison a été vidée, mais on n'a pas vraiment fait évacuer le quartier, on aurait dû... C'était peu après l'accident, il ne fallait pas que la panique s'empare de notre ville.

— Votre jeune assistant a été convaincu de collaboration avec la Chine, c'était un espion. La vengeance séculaire de la Chine sur le Japon...

— Il a été manipulé. Il ne savait rien. Il sortira de prison. J'aime beaucoup ce petit, il avait de l'avenir comme journaliste. Vous vous trompez si vous croyez que c'est lui, parce qu'il a gardé les clefs d'ici et qu'il connaît tous mes tiroirs, qui a pu me voler. Je vous affirme qu'il est innocent. La preuve, il est en prison, c'est un bon alibi, vous ne croyez pas?»

Lupin regarda Miyako.

Quand elle avait été la première à faire remarquer qu'il manquait une des planches encadrées sur le mur, le ton de sa voix, une nuance presque

imperceptible, l'avait trahie. Elle n'était pas naturelle. Il avait su qu'elle connaissait la vérité – que lui
ne devinait pas encore.

Le but d'Arsène, irrésistible dans son T-shirt de
Yale University, avait été d'entrer chez elle, il savait
que les planches volées ne pouvaient être que là.
À l'époque où Beautrelet se serait fait tuer pour ses
yeux verts, Miyako entretenait une correspondance
plutôt compromettante avec ce jeune journaliste
japonais qui vendait des photos à son père, Tonio
Kagawara.

Lupin se contenta de prononcer ce nom en la
regardant.

Elle baissa les paupières et ne répondit rien.
C'était inutile. Elle savait, comme tout le monde,
que Lupin avait possédé, vingt-quatre heures durant,
toutes les données personnelles des utilisateurs de
Facebook – et à cette époque, il connaissait déjà la
jeune fille, il avait un œil sur elle.

Elle se tourna vers son père. Tout le monde l'écoutait. Elle n'avait rien à gagner à révéler l'identité du
gentleman-cambrioleur. Il le savait. Elle avait trop à
perdre en le trahissant. Elle avait été non seulement
sa maîtresse mais aussi un peu sa complice, il voulait
qu'elle s'explique :

« J'ai servi le Japon. J'ai servi l'empereur. Je t'ai
servi, toi aussi, père, malgré toi. »

Ce discours est celui de tous les espions.

Lupin, dès l'époque où il l'avait repérée à
Paris, savait que Miyako, petite princesse du
Japon moderne, avait le profil idéal d'un agent de

renseignements. Elle avait reçu mission de séduire Tonio Kagawara, journaliste qui inquiétait la police, de l'empêcher de publier ses pseudo-informations sur le nuage toxique. Elles avaient filtré tout de même.

«Toi, mon père, tu ne parles pas avec les filles, nous ne sommes pour toi que des servantes envoyées par le Ciel. Je ne savais pas que tu avais utilisé ces photos pour ton travail. J'ai tout découvert quand l'album a été terminé et qu'on m'a autorisée à le regarder.

— Ma fille aimée…

— Tu es de l'ancienne école, tu es comme un vieux cuisinier qui ne montre que son plat fini. Tu m'as fait peur hier, quand j'ai vu que parmi les maisons que tu avais représentées se trouvait celle que les Chinois voulaient utiliser, parce qu'ils l'avaient empoisonnée, afin de ruiner notre pays. Ton album allait relancer cette histoire, lui donner du crédit, en faire une légende urbaine. La maison contaminée allait devenir une des plus célèbres de Tokyo. Sur ce sujet, il ne faut prendre aucun risque. C'est l'avenir du pays qui est en jeu.»

Elle pleurait.

Lupin avait compris assez vite qu'elle avait reçu l'ordre du ministère de l'Intérieur de voler les planches, de rendre impossible la parution de l'album, d'escamoter l'image la plus gênante. En bon petit soldat, elle avait obéi, convaincue qu'elle agissait bien.

Elle était une des trois personnes à pouvoir le faire, puisque l'encadrement des œuvres avait été réalisé uniquement par les deux assistants de son père et par elle.

Dès les premières minutes, Lupin l'avait fait figurer en tête de la liste des suspects. Sa conviction était qu'elle était coupable. Sa méthode avait été d'en chercher les preuves, et de comprendre le mobile – il y était vite arrivé. Un Sholmès aurait d'abord glané les indices, puis émis des hypothèses, pendant que John Watson aurait posé des questions à tort et à travers, en traumatisant la gardienne de l'immeuble et la femme de ménage. Le pauvre Sholmès a trente idées à la fois, sa force c'est que son cerveau dopé par les substances illicites qu'il ingurgite les trie à toute vitesse, Lupin n'a qu'une idée, née de l'observation des faits et des décors, en un coup d'œil, ça lui donne toujours un peu d'avance. Sa devise est celle de Picasso adoptée aussi par le jeune Beautrelet, le credo des génies : « Je ne cherche pas, je trouve. »

Il était arrivé chez Miyako, le premier soir, après l'avoir emmenée danser au Velours, la boîte de nuit à la mode de la jeunesse tokyoïte.

Parmi les lustres de Baccarat, les lourds rideaux pourpres dignes des films de Visconti, en buvant des cocktails aux noms indéchiffrables, il l'avait trouvée si belle. Elle n'était plus la petite étudiante de Paris, c'était une femme originale et surprenante, qui avait pris sur lui, ce soir-là, une supériorité imprévue. Il était d'un seul coup un gamin face à elle. Elle allait lui rechercher à boire, le présentait à ses amies, l'entraînait pour danser encore alors qu'il aurait surtout aimé l'embrasser. Elle avait même osé, en regardant un des grands miroirs biseautés qui décoraient le corridor du dancing, une plaisanterie pour se moquer du petit Beautrelet :

« Vous vous souvenez, dans son studio de la rue du Pont-aux-Choux, il y a une haute glace toute pareille, je me moquais de lui en lui démontrant qu'il était narcissique à mort, Paul.

— Taisez-vous, pas ce nom, pas maintenant, terrible demoiselle aux yeux verts...

— Il n'était pas narcissique, au fond, je l'aimais bien. Il avait laissé ce grand miroir parce que l'agent immobilier qui lui a loué son repaire, dans l'antre du fameux brigand Cartouche, avait tout décoré, et qu'en fait il s'en moque, c'est un pur scientifique, il ne regarde même pas l'endroit où il vit... Chez moi, j'ai tout arrangé moi-même, je n'aurais pas supporté que cela soit fait par un autre...

— Taisez-vous. Arrêtez de me parler de ce garçon. Vous voulez me rendre timide ? Votre histoire avec lui est finie, non ? Venez. On sort. »

Quand ils furent arrivés chez elle, il était conquis, soumis, obéissant, amoureux, elle en avait fait sa chose – croyait-elle.

Lupin avait le sentiment de cambrioler un couple, mais pour le bien des deux. Devant cette jolie fille, comme souvent, il n'avait plus ni scrupules ni remords, simplement envie de la voir nue, cette nuit.

Il n'avait rien trouvé dans la chambre de la demoiselle aux yeux verts. Il se doutait bien qu'il n'y aurait

pas deux gros dossiers, à peine cachés, sous le futon,
qui auraient contenu les pages si précieuses. Il avait
passé son doigt sur toutes les cloisons, pour vérifier
si elles n'avaient pas été doublées de papiers.

Isidore, petit monstre, tu ne t'étais pas trop vanté
de ta conquête. Tu avais préféré te faire discret, ne
pas attirer l'attention de papa Lupin. Et toi, avec tes
yeux verts toujours prêts à se baisser, cet air modeste
et contrit, quelle comédienne… Il trouvait Miyako
prodigieuse. Il n'avait jamais eu de maîtresse japonaise. Il ne regrettait pas d'avoir été un séducteur
sans foi ni loi, c'était pour la bonne cause, car il
n'oubliait pas pourquoi il se trouvait là, avec cette
beauté.

Sur le rebord de la fenêtre, deux petits robots
étaient les tamagoshis géants, de la taille d'enfants
de six ans, ces humanoïdes qui devaient remplacer
les chiens et aider leurs maîtres à devenir meilleurs,
qu'elle avait laissés s'éteindre avec indifférence
trois ans plus tôt, parce que ce n'était plus la mode
– mais qu'elle conservait parce qu'au fond elle était
sentimentale. Ce soir-là, le premier soir, elle ne lui
avait vraiment pas laissé le loisir de chercher plus
loin.

Le lendemain, en revenant dans ce joli appartement aux murs roses et vert pâle, il sut d'instinct où
aller. Elle lui servit à boire, il prit le temps de tout
admirer, les portraits d'elle petite fille faits par son
père, les kimonos de cérémonie de son arrière-grand-
mère dans leurs grandes boîtes de carton vert, les
compositions de fleurs artificielles qu'elle appelait

par leurs noms et qui étaient aussi des robots – carni-
vores – auxquels elle avait appris les tables de mul-
tiplication et des recettes de cuisine. Il avait attendu
ensuite qu'elle disparaisse dans la salle de bains…

*

« Pendant que nous parlons, trois de mes associés
sont en train de franchir la douane avec des valises
qui ont été conçues pour dissimuler ce genre de
papiers. J'ai agi ici pour la France…

— Pour la France ? fit Trévignon. Bill, je dois
vous rappeler que vous êtes américain…

— On m'appelait aussi autrefois le capitaine
Cocorico. Nous, les Américains, nous devons toujours montrer que depuis le marquis de La Fayette,
l'amiral d'Estaing et le comte de Rochambeau, sans
oublier Sa Majesté le roi Louis XVI et Beaumarchais,
nous avons une dette envers la France. J'ai offert, à
moitié prix, l'exclusivité de l'édition de cet album
à l'excellente maison Ganimarion de Paris. Tant pis
pour votre éditeur habituel, ici, au Japon, il se refera
une santé en publiant le prochain. L'édition originale
sera française. Je ne demande rien d'autre en remer-
ciement. Les autres pays du monde traiteront avec
Ganimarion pour les traductions.

— Je vais vous engager comme agent, dit le vieil
homme avec un fin sourire…

— Votre contrat, cher maître, sera parfait.
Ganimarion est une excellente maison, vous y serez
bien. Et si Mlle Miyako trouvait quelque chose à

redire à tout cela, je ferais en sorte qu'un de nos amis communs, un jeune chercheur qui souffre le martyre pour terminer sa thèse, soit informé de tous les détails de cette aventure. Vous l'aimez bien, puisque le mot de passe que vous avez enseigné à vos deux tamagoshis pour les faire revenir à la vie c'est le mot qui est au centre de ses travaux, un mot aux sonorités douces et suaves, en français : *miel...* »

La demoiselle aux yeux verts ne parlait plus. Elle regardait par la fenêtre le ciel de Tokyo, sans aucun nuage. Sa cachette était inviolable, comment Lupin l'avait-il trouvée, et à quel moment ? Jamais elle ne l'avait laissé longtemps seul dans l'appartement.

Il avait dit le mot juste et les deux monstres de plastique s'étaient ouverts : le ventre de chacun d'eux contenait vingt des précieuses pages. Ils étaient censés être les plus inviolables des gardiens.

Tous les invités de Tadamishi ainsi réunis autour du maître, heureux d'avoir retrouvé ses dessins, ne firent pas attention à Lupin, qui sortait en se faufilant entre les chaises et les tables vers l'escalier de service, emportant au passage quelques feuilles crayonnées qui traînaient sur une table. Ils venaient d'entendre la sonnette de la porte d'entrée. C'était l'inspecteur Ganimarion, qui les avait tous convoqués là et qui arrivait avec quatre minutes de retard.

Chapitre 4

La femme aux deux sourires

L'aventure de « la femme aux deux sourires » est la première de celles que me raconta Arsène Lupin, le soir où il me demanda de devenir son biographe et d'entamer l'écriture de ce livre.

Nous nous étions rencontrés à Étretat, devant cette chapelle des marins, si émouvante, qui domine le panorama, et il avait engagé la conversation de la manière la plus aimable, en me disant qu'il avait lu quelques-uns de mes romans.

Il me donna sa carte de visite, car dans la société contemporaine où tout passe par des écrans, des sites, des messages, la carte de visite, étrangement, n'a pas disparu. La sienne – je l'ai toujours – n'avait pas changé depuis les années 1900, finement et précisément gravée, imprimée en bleu-gris, sans adresse ni téléphone, un modèle d'élégance. Tout en lui parlant, je passais mon ongle sur les lettres pour vérifier qu'elles n'avaient pas ce léger relief que produisent les imprimantes à jet d'encre, détail qui m'aurait convaincu que je me trouvais face à un imposteur.

L'affaire de Strasbourg avait fait la une de tous les journaux télévisés, il venait de rentrer en scène et j'avoue que si j'avais choisi d'aller passer ce week-end à l'hôtel du Donjon, le meilleur d'Étretat, c'était avec au cœur l'espoir absurde que je le rencontrerais.

C'est dans la jolie petite salle à manger du donjon au décor anglo-chinois, illuminée par le coucher de soleil sur l'Aiguille, devant un solide plateau de fruits de mer mâtiné de cuisine moléculaire, qu'il me raconta cette histoire, dont il semblait très fier.

« Regardez l'Aiguille. J'ai habité là. C'était une œuvre d'architecture naturelle, que j'avais aménagée un peu comme le sous-marin du capitaine Nemo, Gustave Eiffel en personne m'avait donné des conseils, il avait fait les escaliers en vis, les passerelles intérieures…

— Vous aimez l'architecture ?

— J'aime fréquenter les architectes. Il faut que je vous raconte pourquoi. J'ai un très bel exemple en tête. C'est une courte histoire, dont vous avez sans doute entendu parler, mais qui est demeurée très mystérieuse pour le public. »

Cette aventure le montre sous son meilleur jour, et le soir même, dans ma chambre en haut de la tour, je la notai dans mon carnet rouge, au mot près, comme il me l'avait contée.

*

L'inspecteur Ganimarion s'était habillé tout en blanc, du panama aux mocassins. Une mission capitale venait d'être confiée à cet homme d'élite qui poursuivait son régime sans féculents avec la même application qu'il mettait à toutes choses.

Dans l'émirat de Barjah, si petit qu'on l'oublie toujours dans la liste des émirats, un grand musée, créé pour rivaliser avec ceux d'Abou Dabi et de Doha, sortait enfin des dunes du désert. C'était la Fondation Bagenfeld, assise sur l'indestructible fortune du grand fabricant d'aspirateurs suisses, qui avait décidé de s'allier avec le richissime émir pour constituer une collection d'art ancien et contemporain, ouverte au public du Golfe et du monde. Les expositions promettaient d'être plus spectaculaires encore que celles des autres nouveaux musées qui avaient ouvert dans la région. On allait voir ce qu'on allait voir.

Le Français Tristan de Paramparz, lauréat du Pritzker Prize, l'architecte choisi par l'émir, avait voulu avec intelligence mettre l'accent sur les expositions temporaires en créant, au centre du bâtiment reposant sur une forêt de colonnes, un saint des saints, encore plus sécurisé que le reste, qu'il avait appelé en riant, dès son premier croquis, la « salle de la *Joconde* ».

Ce premier gribouillis, fait sur la serviette en papier dans l'avion du retour, avait été la base de tout le travail de son agence qui l'avait reçu et étudié comme Perceval, Arthur et Gauvain à qui on aurait apporté le saint graal – et la petite serviette avait été achetée ensuite, à la fin du chantier, une fortune, par Sa Grâce l'émir de Barjah pour sa collection personnelle.

Des caméras partout, une porte qui se referme en
quelques secondes à la moindre alerte, des murs de
quatre mètres d'épaisseur avec en leur centre un blindage : jamais aucune tente bédouine, dont cette salle
affectait de reproduire la forme extérieure, n'aura été
plus solide. Le résultat ressemblait à un mastaba de
l'ancienne Égypte, un peu perdu au milieu de tours
qui avaient toutes des silhouettes de pots à crayons,
de rouleaux de Scotch ou de décapsuleurs. Les architectes du monde entier avaient bien compris qu'il y
avait là une source de moyens illimitée pour ceux qui
voulaient s'amuser.

L'inauguration après la livraison du chantier avait
eu lieu dans les mois qui avaient suivi la réapparition
de Lupin, et beaucoup de journaux avaient parlé de
cette salle sécurisée en évoquant son nom, pour le
défier – au lieu de décrire les richesses des collections, réunies en moins de deux ans.

Barjah possédait désormais un musée universel de taille réduite, qui alignait tout de même des
idoles des Cyclades achetées à des armateurs grecs
en faillite, un morceau de cloître d'une abbaye des
Pyrénées bradé par un grand d'Espagne mis en
prison pour corruption, et, chef-d'œuvre universel,
une *Dormeuse* d'Ingres qu'on croyait perdue depuis
1815 et qui avait refait surface dans toute sa nudité
païenne à la dernière foire de Maastricht. Le Louvre
avait épuisé ses crédits, le Getty avait calé devant le
prix, l'émir de Barjah, lui, avait eu envie d'un peu de
nudité et de blondeur pour accompagner ses madones

romanes, manière de prouver doublement combien son despotisme était éclairé.

Hélas, on ne parla que de la *Joconde* dans les grands médias, puisqu'il se murmurait qu'elle viendrait pour l'exposition inaugurale, et la presse spécialisée, que lisent les vrais amateurs internationaux – parmi lesquels l'émir de Barjah se croyait désormais une autorité importante –, hurla au pillage des vieilles collections occidentales. Le souverain absolu avait été furieux absolument. Il avait renvoyé son ministre de l'Information et son ministre du Tourisme, engagé à la hâte un ministre de la Culture, mais la presse est ainsi – il avait fallu son ministre des Finances pour le lui expliquer.

D'autant que la première exposition, pour faire plaisir à Paramparz, mais aussi parce que l'émirat souhaitait faire une démonstration de force, s'intitulait, en toute simplicité, avec un pluriel qui avait valeur de superlatif, «Les *Joconde*». Le Louvre avait joué le jeu – contre l'important financement qui permit quelques années plus tard la rénovation et la couverture de la cour Lefuel dans le palais parisien – et dès lors tout était devenu simple.

Monna Lisa, qui n'était plus sortie de son musée depuis ses voyages à Washington, à Moscou et à Tokyo, irait à Barjah – mais pas seule. L'idée d'une exposition de pur prestige, si coûteuse qu'elle fût, déplaisait à l'émir, qui avait fait ses études en Sorbonne : il voulait une exposition avec un vrai but scientifique. C'était cela, désormais, la classe internationale.

Déplacer la *Joconde*, certes, mais pas pour se faire photographier devant comme les Kennedy, ces parvenus : pour la confronter à ses rivales, savoir enfin, grâce à la comparaison directe des œuvres, celles qui, parmi les copies, provenaient vraiment de l'atelier de Léonard, celles qui n'étaient que des faux, celles qui, peut-être, avaient une chance d'être en partie de la main du maître. Jamais cet exercice, sujet de nombreux livres et articles, n'avait été tenté dans la réalité. La *Joconde*, la seule, la vraie, celle de François Ier et de Napoléon, la *Joconde* du Louvre, serait exposée au centre, avec autour d'elle toutes les *Joconde* connues venues des grands musées et des collections privées les plus importantes.

Les copies criantes, les faux de fantaisie et les canulars éliminés, il en restait douze. Celle du Prado, redécouverte récemment après que sous le fond noir une restauration parfaite eut permis de retrouver un paysage, et dont certains disaient qu'elle avait pu être peinte en même temps que l'original, chez Léonard, et peut-être un peu avec l'aide du maestro, la Joconde nue de Chantilly, qui est un dessin admirable quoique trop lourdement retouché qu'on surnomme la Monna Vanna, la *Joconde* de Budapest, la *Joconde* de Sinaia, propriété des rois de Roumanie, dont il se murmure qu'elle avait été peinte par Klimt dans sa jeunesse du temps où il travaillait pour le souverain des Carpates qui voulait qu'on lui fabriquât des Rembrandt et des Rubens – sa monarchie en manquait –, la Joconde jeune, dite Monna Lisa d'Isleworth, qui a le grand défaut d'être peinte sur toile, cela formait un rang de perles, une ronde de demoiselles d'honneur autour de leur souveraine, douze *Joconde* dans une salle – et la treizième, l'unique.

Pour l'inspecteur Ganimarion, c'était du cake – ou plutôt de la salade de fruits : le plus extraordinaire piège à Lupin jamais inventé, avec toutes les conditions réunies, depuis les forces armées de l'émirat jusqu'aux astuces du génial architecte pour que l'ensemble fonctionne à la manière d'une luxueuse souricière. C'était comme ouvrir le plus raffiné des pots de miel devant l'abeille qu'on veut capturer, en tenant le couvercle à la main, prêt à visser. D'où ce superbe costume blanc, en lin, acheté avant de partir, en vue des interviews qu'il donnerait pour raconter la capture du cambrioleur.

Ce qui devait arriver arriva : Lupin annonça qu'il allait intervenir, sur la chaîne officielle de l'émirat, une semaine avant le vernissage de l'« exposition du siècle ».

*

La « caisse Bouchu » avait été conçue spécialement par cette entreprise d'élite, « Bouchu et Cie, emballeur d'œuvres d'art à Paris depuis 1889 ». La maison avait déjà assuré le conditionnement lors des voyages précédemment effectués par le fragile panneau de bois. Le lourd caisson métallique arriva de Paris au nouvel aéroport de Barjah, accompagné du président de la République et de sa jeune femme – qui avait travaillé son sourire avec une directrice de casting –, du ministre de la Culture et de la Communication, éternel célibataire, du président-directeur du musée du Louvre venu avec une délégation de ses conservateurs.

La vieille directrice de la maison Bouchu et Cie, soixante-dix ans, petit bout de femme en tailleur mauve posé sur des mollets Louis XV, avait voulu faire le voyage et être présente en personne pour l'ouverture de «sa» caisse. Ce serait le couronnement de sa carrière. Elle avait su séduire le ministre, qui paraissait fatigué, les traits un peu tirés, le menton tombant, et qui trouvait reposant d'entendre cette dame lui parler des expositions vues depuis les coulisses. Elle avait tout suivi depuis Toutankhamon, qu'elle avait emballé, puis déballé. En 1967, elle avait aidé son père pour l'arrivée des trésors au Petit Palais.

Un jeune conseiller ne cessait de proposer à l'homme d'État ses médicaments et remontants habituels, qu'il refusait dignement, prétendant qu'il ne s'était jamais senti en meilleure forme. D'habitude il se bourrait de pilules et de gélules, il semblait curieusement ragaillardi par ce petit voyage. Le président du Louvre venait d'être nommé, et il était l'objet de toutes les curiosités. Cet homme discret, dont le visage était inconnu, n'était guère apparu encore dans les médias. Il allait vivre là son premier coup d'éclat. Il semblait détendu et souriant. Sa décision de prêter la *Joconde* avait un peu surpris, mais peut-être n'avait-il pas eu le choix – les médias se gargarisaient de l'expression «diplomatie culturelle»…

Édith Bouchu jouait gros : elle devait conserver la clientèle du plus grand musée du monde à son entreprise familiale, et elle multipliait les occasions de montrer ses talents, fruit de décennies de métier. Elle avait mis un point d'honneur à ne rien facturer et à offrir au Louvre, au titre du « mécénat de compétences », cette Rolls des caisses, antichoc, insubmersible, garnie de blindage censé faire bouclier en cas d'attaque nucléaire, localisable au radar par trois cents mètres de profondeur, capable de résister aux pires cataclysmes. Le caisson ne s'ouvrait que grâce à un code, changé toutes les dix minutes selon un savant algorithme, dont la combinaison figurait sur un bracelet que portait le président-directeur du Louvre.

La caisse Bouchu, monument de trois mètres de haut, suivie d'Édith Bouchu, du ministre qui s'épongeait le front, de conseillers en essaim autour de lui et du président du musée affichant un masque impénétrable, fut accueillie par les hymnes nationaux des deux pays, et escortée par des motards jusqu'au musée, suivie par les voitures des deux chefs d'État. La première dame de France, en Chanel bleu, dentelle et manches longues, faisait mine de parler à la première dame de Barjah, que les caméras filmaient pour la première fois, mettant fin aux rumeurs au sujet des goûts conjugaux de l'homme le plus riche des émirats.

Les douze *Joconde*, venues du monde entier, avaient été accrochées la veille, n'attendant plus que leur impératrice. Il était impossible que Lupin fût là.

Les contrôles d'identité avec reconnaissance oculaire étaient imparables, ils avaient commencé le mois précédent, toutes les personnes résidant ce jour-là sur le territoire de la petite principauté des sables étaient connues des services. Aucun gentleman-cambrioleur ne pouvait se trouver parmi elles, Ganimarion était formel. Le directeur du nouveau Musée national de Barjah désarma lui-même le dispositif de sécurité pour que la caisse puisse entrer dans la grande salle centrale. La porte bascula sans un bruit.

Christian de Paramparz, qu'on avait oublié d'inviter – comme Charles Garnier le jour de l'inauguration de l'Opéra –, suivait tout cela à la télévision depuis la propriété de ses cousins en Bretagne.

Il se félicita vite de ne pas être sur place.

C'est en effet à cet instant que tout se bloqua. La porte s'ouvrit bien, mais pour se rabattre aussitôt au nez du ministre, des conservateurs, des autorités et de Ganimarion, qui fut pris d'une suée dans son costume blanc trop ajusté. N'étaient entrés dans le saint des saints que la caisse et Édith Bouchu, qui la poussait sur un chariot.

Le naos du temple s'était refermé sur la malheureuse prêtresse. À côté de la porte, le mur d'écrans de sécurité, masqué par un rideau de marbre pivotant, fonctionnait très bien, heureusement : il permettait de voir ce qui se passait à l'intérieur sans le moindre angle mort et de communiquer au micro avec la vieille dame. C'était son sourire à elle, énigmatique en diable, qui s'affichait sur l'écran de contrôle. Ganimarion lui donnait des instructions : « Pas de panique, Édith, nous avons la situation bien en main.»

Lupin allait-il s'attaquer à Édith Bouchu, une aimable arrière-grand-mère qui avait été très belle, qu'on surnommait «Édith-au-cou-de-cygne» quand elle avait vingt ans, à l'évidence une personne de qualité qu'un gentleman, si cambrioleur fût-il, se devrait de respecter? Il ne pourrait ni se dissimuler ni fuir ensuite. La prendrait-il en otage?

La directrice des Musées de France expliquait au président de la République qu'il valait mieux sauver un être humain qu'un chef-d'œuvre, même universel. C'était un vrai débat. La première dame française, parce qu'elle avait parlé avec Édith Bouchu dans le salon d'honneur de l'aéroport, savait, elle, que l'héritière des caisses Bouchu était prête à donner sa vie sans aucun état d'âme pour sauver la *Joconde*. On était comme ça, chez les Bouchu.

Le public et les journalistes étaient attendus dans l'heure qui suivait. Le directeur du musée de Barjah suggéra que, le temps de réparer la petite panne technique, il fallait procéder tout de même à l'accrochage sans perdre une seconde. Il suffisait que le président du Louvre suive les mouvements de Mme Bouchu sur les écrans et lui donne ses instructions, le code de la caisse, et qu'elle agisse au mieux. Ce n'était pas difficile. On allait bien ensuite finir par ouvrir le vantail. Dans l'urgence, en présence des chefs d'État, cette solution fut jugée la meilleure.

Le président du musée dicta devant le micro la combinaison qui figurait sur son bracelet, qu'Édith

Bouchu, très concentrée, tapa sur l'écran du couvercle. Tels des ingénieurs de la NASA regardant, captivés, sur leurs téléviseurs de contrôle la marche du premier homme sur la Lune, tous suivirent les gestes précis de Mme Bouchu, qui, en grande professionnelle, ouvrit la caisse. Elle n'avait besoin de personne. On vit, grâce à la caméra n° 8, la *Joconde* glisser entre ses mains gantées de blanc sur les rails prévus à cet effet dans le coffrage ouvert et apparaître, tout encadrée, sous la plaque de verre à l'épreuve des balles qui la protège au Louvre.

Odile Bouchu confirma que l'hygrométrie était exactement la même que celle de la salle des États — le panneau ne risquait pas de se fendiller, le vernis ne se craquellerait pas, tout allait parfaitement bien. Elle accrocha. Elle fit un petit pas à reculons, pour juger du résultat : un grand pas pour l'humanité.

Lupin jubilait en me racontant son exploit. Tous avaient vu la *Joconde* sortir ainsi de son écrin, s'encastrer dans le caisson de protection prévu par le musée de Barjah en conformité avec les normes de sécurité du Louvre, on entendit même quelques applaudissements parmi les conseillers de la suite présidentielle, ce qui fit froncer les broussailleux sourcils du ministre de la Culture — Édith Bouchu serait sans doute bientôt décorée. Elle faisait honneur à l'excellence et au savoir-faire technique français, elle était à la tête d'une entreprise séculaire, elle avait du cran. Grâce à elle, l'exposition était parfaite, on pouvait le constater grâce à une dizaine de caméras, cela promettait d'être passionnant — mais la difficulté était qu'il était impossible de la visiter. La porte ne s'ouvrait toujours pas.

*

Alors, sur l'écran, on distingua nettement Édith Bouchu qui chancelait. Comme si elle avait été victime de gaz asphyxiants, elle tituba, s'abattit, et demeura allongée, inerte, sans même avoir crié, sur le ventre.

Les caméras cessèrent de fonctionner, ou alors c'était la salle qui venait de s'éteindre : une clameur accueillit l'horrible vision de dix écrans noirs, inutiles.

Lupin, c'était sûr, venait de frapper. Ganimarion rassurait son monde. Encore faudrait-il qu'il sorte de la salle, et qu'il puisse emporter la *Joconde*, dans ce pays qui n'a comme issue qu'un aéroport entièrement militarisé où on ne plaisante pas avec les gentlemen. Un homme avait-il pu se lover dans l'immense caisse ?

La porte dut être forcée par l'armée, avec toutes les précautions d'usage, cela prit deux heures, durant lesquelles Mme Bouchu ne donna aucun signe de vie, pas plus que l'architecte lauréat du Pritzker Prize qui, consterné, au fond de son jardin breton, laissait sonner son téléphone.

Quand le vantail fut éliminé, les conservateurs se ruèrent vers le tableau. Tout allait bien. Il était là. On constata que la *Joconde* n'avait pas été décadrée. C'était elle, aucun doute possible. Lupin avait échoué. La police vérifia que personne ne s'était introduit dans la salle : aucune des douze autres œuvres ne manquait ? Le président du Louvre affichait un bon grand sourire de soulagement. Une équipe d'infirmières voilées du croissant rouge emporta la malheureuse dame Bouchu sur une civière, où elle revint à elle presque aussitôt, comme électrisée.

Elle cria, avec une force inattendue : « Dans la caisse, la caisse… »

Ce fut Ganimarion, toujours en nage, qui alla voir. La caisse, à laquelle personne ne s'était intéressé, était ouverte entre la *Joconde* de Madrid et la *Joconde* de Sinaia.

Au lieu d'être séparée en deux selon la ligne des charnières métalliques, elle s'était divisée en trois : la partie vide qui avait contenu le tableau du Louvre était bien visible. Seulement, l'arrière s'était entrouvert, laissant paraître une autre peinture, qui avait provoqué chez Édith Bouchu un tel saisissement qu'elle s'était évanouie.

Cet autre tableau était une Joconde plus belle que la *Joconde*.

Claire, rayonnante, avec des nuances de bleus et de verts admirables, des yeux profonds, un sourire impossible à peindre avec des mots.

En la voyant, certains se mirent à pleurer et tombèrent à genoux. Le président du Louvre s'assit par terre pour la scruter au plus près. Aucune vitre ne la protégeait, celle-là. Le ministre s'affola dans les bras de son vieux conseiller spécial, au bord de l'évanouissement lui aussi. Elle était là, mystérieuse, souriante, incomprise et illustre : la vraie *Joconde* – une de plus...

Il aurait suffi à l'inspecteur Ganimarion de réviser un peu ses classiques. Maurice Leblanc l'avait raconté dans *L'Aiguille creuse* : Lupin possédait, parmi ses trésors, l'original de la *Joconde*, volé au Louvre et remplacé par une excellente copie ancienne. Au moment où il avait dû abandonner sa retraite, lors de l'assaut final donné à l'Aiguille, c'était la seule œuvre qu'il avait emportée. Il ne s'en était plus jamais séparé. Il l'avait posée à côté de lui, sur les galets, au moment de partir.

Elle ressemblait, pensait-il, à la troublante Raymonde de Saint-Véran, son grand amour, qui mourut dans ses bras, victime d'un tireur imbécile, durant cette nuit tragique, à Étretat...

La copie de très belle facture, qu'il avait laissée au Louvre au moment de la substitution – opérée sans bruit en profitant du tumulte de l'Exposition universelle de 1900 –, commencée à Milan par Ambrogio de Predis, disciple doué de Léonard, et achevée au Clos Lucé par cet autre élève qui se nommait Francesco Melzi, était devenue célèbre un an après l'affaire de l'Aiguille creuse, au moment du fameux vol de 1912. Le peintre en bâtiment italien qui l'avait emportée sans façon était-il un espion du Kaiser ? On avait un instant soupçonné Pablo Picasso. Lupin riait sous cape. Il avait berné tout le monde.

Le tableau de substitution, que ce cambriolage naïf et maladroit avait consacré comme le seul original, avait été masqué, au fil des années, par une vitre épaisse. Le fragile panneau avait été agrémenté d'une importante barrière de mise à distance. Ce n'était pas pour protéger l'œuvre, c'était pour qu'on ne puisse pas y regarder de trop près. L'horrible secret se transmettait, depuis 1900, de directeur des Musées de France en président du Louvre : la *Joconde* du musée était belle, ancienne, précieuse, mais elle n'était plus celle de Léonard...

Ganimarion en rage trouva cette carte de visite, glissée contre le rebord du superbe cadre florentin sculpté qui entourait, dans le double fond de la caisse, cette quatorzième et ultime *Joconde* :

Arsène Lupin,
gentleman-cambrioleur,
restitue à la France la Joconde *que Léonard de Vinci avait offerte au roi François Ier. Sans elle, la magnifique exposition organisée par Sa Grâce l'émir de Barjah – qu'Elle soit louée dans les siècles – n'aurait pas été complète, ni aussi parfaitement utile à la science.*

Il souhaite que soit ajoutée désormais sur le cartel qui accompagnera le tableau la mention suivante : « Don anonyme, en mémoire de Mlle Raymonde de Saint-Véran ».

*

La nuit s'était faite sur le donjon, Lupin me resservit un vieil armagnac, de la réserve de l'hôtel :

«Voilà, mon cher, je la leur ai rendue, Monna Lisa... Elle m'appartenait depuis plus de cent ans.

— Vous l'aviez volée.

— Il y a si longtemps, en 1900, je venais de gagner la médaille d'or de la compétition cycliste de l'Exposition universelle... En droit français, possession vaut titre. Le vol, que personne n'avait vu, qui d'ailleurs n'avait suscité aucune plainte, était plus que prescrit. La *Joconde* avait fini par m'appartenir légalement. J'ai ainsi pu m'offrir le plaisir de l'offrir. Je vous ai résumé un peu les choses, nous ne nous connaissons pas encore assez bien.

— Toute la presse en a parlé, pourtant je ne saisis pas tout. Ces deux heures d'obscurité des caméras vidéo, pourquoi ? C'était inutile.

— Tsss... Tsss..., la prochaine fois... Tu poses tout de suite les bonnes questions, toi. Aucun journaliste n'a commenté cela, et Ganimarion ne s'est même pas interrogé. J'avais besoin de ces deux heures, c'est même cela qui était essentiel...

— Et la porte blindée, vous avez bloqué le dispositif de sécurité de la salle...

— Une de mes nièces, la jolie Sabine – elle est architecte DPLG –, a fait un stage très opportun dans l'agence de mon vieil ami Tristan de Paramparz. Je le connais depuis toujours, sa cousine Isaure est une de mes amies de jeunesse... Pour me dédouaner auprès de lui, sans rien lui raconter bien sûr, je lui ai obtenu un immense chantier : le remplacement de l'immonde Opéra de la Bastille que la France va enfin démolir l'an prochain... Il est aux anges. Mitterrand l'avait raconté dans une émission où Bernard Pivot l'interrogeait, tu te souviens, il voulait que ce soit Paramparz – qu'il prononçait comme on doit le faire «part en part» – le lauréat du concours. Eh bien voilà, c'est fait, c'est arrangé…

— Vous ne m'avez pas dit pourquoi vous aimez tant les architectes. C'est pour m'expliquer cela que vous avez voulu me raconter cette histoire, Lupin?…

— Paramparz est l'exemple parfait de ce que j'aime chez eux. Je l'aime pour le croquis fait dans l'avion. Évidemment, ensuite il a fabriqué quinze maquettes, très structurées, il a pensé à tout lui-même, jusqu'aux ascenseurs pour les visiteurs en chaise roulante, mais ce que tout le monde a repris, ce que tous les médias ont commenté, c'est le gribouillis fait sur la serviette d'Air France. On l'a vu partout. C'est de ce dessin que s'inspire le logo du musée. Le griffonnage génial est à Paramparz ce que le garage de ses parents est à Steve Jobs, un mythe nécessaire. Eiffel avec sa tour…

— Vous avez votre Aiguille creuse.

— Non, mon monocle, dirais-je plutôt. Regarde, il est dans la poche de ma veste, au bout d'un ruban, je l'ai toujours!»

Lupin fit tournoyer le disque de verre autour des tasses à café. Il avait l'air d'un prestidigitateur. Il devait sentir l'admiration dans mon regard et jubiler. J'ai décidé à cet instant que j'allais écrire ses nouvelles aventures, me lancer dans cette chronique de ses exploits du XXIᵉ siècle.

Je lui demandai combien d'identités officielles il possédait. Il me répondit qu'en feuilletant la dernière édition du *Who's Who*, il s'y était trouvé trente-deux fois, avec une grande diversité de dates de naissance, de fonctions officielles, de grades, de diplômes, et que cela l'amusait toujours autant...

« Et vous avez réglé cette affaire de la réapparition de la vraie *Joconde* à distance, depuis chez vous ! Vous étiez ici, à Étretat ?

— Du tout, mon jeune ami, j'ai voulu voir, de mes propres yeux, un spectacle si amusant !

— Lupin était du voyage ?

— Et pourquoi pas ? J'aurais dû m'en priver ? La mine de Ganimarion, c'était du plus haut comique, du comique troupier, du cinéma muet avec accompagnement de piano, j'y étais, en personne, on m'a laissé entrer et sortir, figure-toi... Les huiles – essentielles – qui se trouvaient à bord de l'avion du président français n'avaient pas été fouillées, ni au Bourget ni à Barjah. Je suis arrivé avec la caisse et les deux *Joconde*.

— Vous étiez déguisé en conseiller du président ? Vous étiez le ministre ? Le président du Louvre ? Vous étiez caché dans la boîte ? Je ne veux pas le croire...

— Mais non, patate ! (Je fus sensible à l'honneur d'être appelé « patate »... dès la première rencontre, par Arsène Lupin.) Des injections de collagène réversibles sous les paupières, des faux seins plus mous que nature, des rides profondes et des ridules autour de la bouche, et des yeux, et du nez, la broche en grenats de ma grand-mère Lupin, des chaussures orthopédiques à talons plats, la gamme de luxe de chez Mephisto, tu vois, les Mephisto-Valses, et tout de même, pour l'occasion, les deux rangs de perles des Dreux-Soubise dont l'orient est admirable, on a de la branche ou on n'en a pas, voyons, j'étais irrésistible, renversante, hyper-compétente, respectable, coiffée d'un chignon brioche poivre et sel à la versaillaise, crebleu, tu n'as pas compris, Édith Bouchu, c'était moi !

— Merveille.

— Et j'ai eu ma décoration ! Enfin, la sienne. Je la lui ai fait remettre dans sa maison de retraite du côté d'Auch, par le préfet du Gers en personne, un talent fou, je te renvoie à sa notice biographique dans le *Who's Who in France*, ah, ma chère Édith-au-cou-de-cygne, Édith du désert, Édith du Louvre, elle avait eu tellement de cran dans cette aventure au pays de l'or noir, je lui devais bien cela. »

Chapitre 5

La Cagliostro se venge

Beautrelet s'était juré de finir sa thèse et de ne plus revoir Lupin. Finies, les aventures ! Autant dire qu'il avait une très forte envie de savoir ce qu'était devenue l'idole de sa jeunesse, et qu'il luttait. Il avait décidé de détester Lupin, cela n'était pas facile.

Depuis quelques semaines, il avait commencé une espèce de liaison. La jeune Japonaise était bien loin dans ses souvenirs. Mais la nouvelle, il la tenait à distance, il avait peur de tomber amoureux et ce n'était pas du tout le moment. Elle n'avait d'ailleurs pas l'air de s'accommoder trop mal de leur étrange relation. Il n'était jamais allé chez elle. Elle était venue chez lui, au début, et comme elle aimait, semble-t-il, le luxe et les petits déjeuners sur des plateaux à roulettes, elle lui donnait rendez-vous dans de grands hôtels, ce qui mettait toujours Paul un peu mal à l'aise. Dans ce genre de décors, leur différence d'âge se voyait, et il n'aimait pas avoir l'air d'un garçon entretenu.

Le gentleman-cambrioleur se serait moqué de lui, s'il avait su ça. Malgré lui, Paul se prenait à penser à lui, à entendre cette voix qui changeait comme au théâtre lui dire : « Alors, mon petit Isidore… », ou lui lancer son inimitable « Et pourquoi pas ? ».

Il importait peu, au fond, de savoir si Arsène Lupin c'était vraiment cet homme, et par quel miracle de la science il était toujours là. Ses recherches à lui concernaient la régénération des cellules, il se pouvait bien que le cambrioleur fût un des meilleurs cobayes pour étayer ses conclusions, plus utile que les malheureuses souris de laboratoire que ses camarades chercheurs s'ingéniaient à torturer.

Il s'était barricadé depuis dix jours, ne voyait plus personne, réécrivait sans cesse son chapitre final.

Un soir, alors qu'il sortait à l'épicerie du coin pour s'acheter un plat tout préparé à réchauffer en trois minutes – cela faisait deux jours qu'il n'avait ingurgité que de l'eau et du café –, il s'aperçut que la grande botte rouge qui était l'antique enseigne de sa maison avait disparu.

La botte de Cartouche, volée ? Il fredonnait la « Chanson de Cartouche », un air du XVIIe siècle qu'on trouvait sur Wikipedia et dont on ne comprenait pas bien les paroles, même si le sens était clair :

Enfin Cartouche est pris
Avecque sa maîtresse
Mais il s'en est enfui
Par un tour de souplesse
L'aile vola légère

Comme roule le dé
Il aurait traversé une porte de fer
Les murailles pour lui se sont tout effacées...

Il interrogea l'épicier. Karim – c'était écrit sur son badge –, un remplaçant qu'il n'avait jamais vu, lui dit qu'il ne savait rien, mais qu'un des ouvriers qui étaient venus la dévisser ce matin avait laissé son sac avec ses outils. Il était là, derrière la caisse.

Une jeune femme du quartier, baskets sans marque et montre Hermès, demanda des nouvelles de Yacine, l'épicier habituel, en achetant ses tomates « dix doigts de Naples » et sa salade bio, produits que ce petit commerce, désireux d'épouser l'âme du quartier, mettait en avant depuis peu. Ah, l'esprit « bobo » : c'est un peu le mode de vie du gentleman-cambrioleur qui s'était démocratisé – et quand Beautrelet s'était inscrit aux cours de tango du Café de la Gare, la sublime enseignante, Leila, aimable Argentine pleine d'attraits, très bohémienne bourgeoise, lui avait dit : « Dans cette danse, tu dois avoir le torse royal et les jambes canaille. Toi, mon lapin, tu vas y arriver. » Il n'y arrivait pas très bien, mais s'était dit qu'il n'était pas allé se nicher par hasard dans ce coin de Paris qui partageait sa philosophie.

La cliente de l'épicerie était un archétype :
« Il n'est pas là votre collègue ?
— En vacances, madame.
— Ah oui, il est reparti en... dans votre pays...
— Non, madame, il est en Toscane.

— Il est tellement malin, quand il reviendra chez vous, il sera ministre.

— Je crois quand même qu'il préférera être ministre ici. »

Pendant cette conversation, qui l'amusait beaucoup, Beautrelet se pencha, inspecta la besace qui contenait une perceuse, des outils, et s'étrangla en trouvant une enveloppe épinglée dans le tissu, à l'intérieur, avec cette adresse :

> *Monsieur Isidore Beautrelet,*
> *chercheur,*
> *– en ville –*

*

Sans oser se le dire, il avait attendu un signe, et ce signe était venu. Il avait enfin une lettre. Si elle était arrivée par la poste, il n'aurait même pas voulu la lire, la signature de Lupin aurait suffi à la lui faire jeter à la poubelle – même après l'avoir lue. Il avait perdu trop de temps avec Lupin. Lupin était nuisible, c'était son mauvais génie. Le professeur Foucart attendait ses conclusions pour la semaine prochaine.

En le forçant à trouver lui-même le message, Lupin savait comment vaincre les préventions du jeune homme. Le ton était inimitable :

Je sais que tu peines un peu, mon garçon, en voulant terminer ta thèse dans les temps. C'est peut-être qu'il te manque un bon exemple, un cas auquel personne n'aurait pensé pour synthétiser les résultats auxquels tu es parvenu. Je suis beau prince, je te l'apporte sur un plateau. En vrai, j'ai besoin de ton aide. Il me faut, pour une mission que j'aurais dû accomplir moi-même, quelqu'un en qui j'aie une confiance absolue. Ces jours-ci, je suis obligé une nouvelle fois de sauver l'économie européenne, et je donne la priorité à l'intérêt général, tu comprendras ça, toi.

Voici l'adresse d'une petite fille de trois ans. Elle s'appelle Aurore. Je compte sur toi pour me dire si elle est en bonne santé et si tu la trouves mignonne. Je te demande de me la ramener à Paris tout de suite. Ci-joint une lettre de recommandation pour parvenir jusqu'à elle, et avoir le droit de l'emmener avec toi. Tu prends l'identité d'un médecin. Tu feras illusion sans difficulté avec ton air sérieux. Tu sais t'occuper d'une fille de trois ans ? Tu as bien dû faire du baby-sitting quand tu étais au lycée ? Jacques dit Grognard, qui a beaucoup de conversation, tu verras, va te conduire dans son auto toute neuve dont il est très content. J'attends ton rapport pour lundi prochain, viens boire un verre place Dauphine, à midi. Et quand tu rentreras chez toi, la botte rouge de Cartouche, qui avait besoin d'un petit coup de peinture, aura repris sa place, ta maison n'aura rien perdu de son charme, ni ta rue de son mystère.

Lupin l'appelait au secours ! Quel culot. Occasion idéale : un texto pour prévenir sa nouvelle amie qu'il aurait dû voir ce soir, il fallait partir. En quatre minutes, Beautrelet avait rempli son sac de voyage, il était ressorti en courant. L'épicier étonné l'avait vu revenir et se saisir de deux paquets de couches, de lait, de tablettes de chocolat, de petits pots à la carotte et au chou – le malheureux Isidore n'avait pas la moindre idée de ce qu'on doit emporter pour s'occuper d'un bébé pendant deux jours.

Une Jaguar XE bleu nuit, modèle sport, toute récente et plus légère que celle de Strasbourg, attendait quelques maisons plus loin. Il reconnut Jacques qu'il n'avait jamais vu, fumant, adossé à ce joyau. Celui que Lupin baptisait Grognard lui ouvrit la portière arrière en s'inclinant, mais Beautrelet d'autorité contourna la voiture et s'assit à côté de lui. Il aurait plus de place.

*

«Pas de chichis, on est de la même bande à partir d'aujourd'hui, non? On va pouvoir parler, mon cher Jacques. Où est le patron? Où allons-nous?

— Nous allons en Suisse, près de Bâle. Monsieur a acheté bien trop de choses: Mlle Aurore est très propre désormais, elle n'aime pas les légumes, et le chocolat a été interdit par le patron.

— Pourquoi est-ce qu'il n'est pas là? Qu'est-ce qui se passe?

— Le patron est sur un coup important, un cambriolage à Pessac.

— Pessac-Léognan, de bons vins, avec d'abord Haut-Brion, premier cru classé, il a volé des fûts, des bouteilles, des caisses ?

— Monsieur n'y est pas du tout. »

Tout sourire, Jacques s'était tu et avait allumé France Inter car c'était l'heure de «Bienvenue au Moyen Âge », l'émission quotidienne de Michel Zink, le célèbre professeur du Collège de France. Isidore trouva que ce Jacques portait une eau de toilette un peu présente, sans arriver à déterminer quel pouvait bien être ce parfum de luxe. Grognard ne grognait plus : il n'en revenait pas qu'on lui ait confié ce bolide. Il regrettait un peu, dans son for intérieur, que son patron ne fût pas plutôt James Bond, il raffolait des gadgets : dans cette bagnole, il avait plein de commandes très amusantes à sa disposition, son iPhone était connecté aux enceintes, qu'il modulait en tapotant sur son écran, il avait entré sa carte SIM dans l'écran tactile du tableau de bord, il était comme chez lui. Le divin bruit du moteur participait à cette impression de grand confort qui le comblait. Leporello testant la nouvelle gondole de don Giovanni n'aurait pas été de meilleure humeur.

Le patron avait eu raison de se méfier depuis toujours des gadgets, aujourd'hui James Bond est ringardisé, le monde entier dispose, pour une somme plus ou moins élevée, de la panoplie de l'agent secret de naguère, géolocalisation, code secret avec empreintes pour ouvrir le téléphone, appareil photographique miniaturisé, enregistreur – et le commodore Bond dans les derniers films n'a plus de gadgets du tout, il finira bien par prendre le métro... Alors que Lupin, avec ses tours appris chez un prestidigitateur, ses cours de théâtre avec les meilleurs comédiens, et les quelques injections de collagène, ses postiches et les hardes achetées chez Emmaüs, conservait aujourd'hui les mêmes méthodes qu'en 1900. Cela forçait l'admiration. Et Jacques n'en était pas avare. Il l'aimait sans réserve.

Beautrelet, agacé, tapotait sur son téléphone et épluchait ce qu'on pouvait trouver de «cambriolable» à Pessac. En quatre secondes, il était tombé sur «Monnaie de Paris». Les entrepôts de frappe monétaire de la France! Il murmura:

«C'est se charger inutilement de voler des pièces, ce qu'il faut cambrioler c'est l'usine des billets, je le lui aurais dit, moi...

— Le patron ne cambriole pas, pas cette fois. Il sauve notre système économique, c'est évidemment bien plus délicat. Le cambriolage a eu lieu hier, et c'est son vieil ami le ministre des Finances, le fameux Lucien Lamoureux – ils disent qu'ils ont fait leurs études ensemble, mais c'est faux –, qui l'a appelé pour lui demander son aide. Vous voyez qu'on n'a pas de secrets pour vous, monsieur Beautrelet! Le patron m'a donné le droit de vous mettre au parfum.

— Mais on a volé quoi? Des coins pour frapper les pièces? Ça prend de la place... Et ensuite, il faut disposer d'un atelier clandestin...

— Oh, ça ne manque pas, on en a démantelé deux en Italie cette année.

— Les Italiens sont des artistes.

— Si Monsieur continue avec ce genre de banalités, Monsieur n'aura pas son Nobel. »

Vexé, Beautrelet se tut, et écouta le professeur Zink qui débattait d'une question fondamentale : « Tristan et Iseult avaient-ils besoin du philtre pour s'aimer ? » La réponse était non, mais c'était pourtant très intéressant, y compris pour un biologiste dont la chimie avait toujours été l'autre grande passion.

Un texto bipe : l'amoureuse de Beautrelet ne l'oublie pas. C'est déjà ça. Il la rappellera une fois sur place. Au lieu de sourire, comme il aurait dû, son visage s'assombrit. Drôle d'histoire d'amour.

L'émission médiévale était brève, ce fut le nouvel album de Johnny Hallyday qui lui succéda, autre artiste immortel, mais qui ne semblait pas être du goût du chauffeur. Jacques, fronçant le sourcil, ouvrit la fenêtre, avec le sourire satisfait de celui qui continue de tester toutes les merveilles d'une voiture neuve. Il n'eut pas un regard pour les tacots voisins, les gros motards qu'il doublait sur l'autoroute ; d'une main souple, il brancha son iPhone sur l'autoradio et fit vrombir à l'orgue *Jésus que ma joie demeure*.

Ce fut lui qui relança la conversation :

« Ce n'est pas trop fort ? Vous reconnaissez ?

— Bach, un des chorals les plus connus... Je l'ai entendu récemment...

— Dans cette interprétation. Je me suis enregistré moi-même. C'était moi, au grand orgue de Strasbourg, vous vous souvenez, qui est accroché aux piliers de la nef comme un nid d'hirondelle. On joue toujours ça pour dire au patron qu'il y a un danger, je l'ai fait à l'harmonica dans le subway à Londres, en sifflotant dans la Grande Galerie du Louvre, au trombone dans un bar de Manhattan, mais là, c'était mon sommet, mon heure de gloire. Toute la bande était présente, on avait sécurisé la cathédrale ; quand ce demeuré de Sholmès est arrivé, j'ai lancé mon choral. Pas mal, non ? Et je sais par cœur tout *L'Art de la fugue*.

— Ça peut servir aussi. Vous vouliez continuer à me parler des usines de la Monnaie à Pessac ?

— Les usines de Pessac c'est très impressionnant, j'y ai fait un stage ouvrier au début de ma carrière, je venais d'entrer dans la bande. D'immenses entrepôts high-tech, on se croirait dans *Goldfinger*. Haute sécurité, des militaires partout. Le président de la Monnaie y a un bureau, où se trouve le coffre-fort. C'est ce coffre qui a été ouvert hier. Une catastrophe.

— Que peut bien contenir un coffre-fort dans une usine qui est elle-même impénétrable ? Les coins sont utilisés, j'imagine, on doit les mettre sous clef le soir, mais bon...

— Une fois de plus Monsieur n'y est pas. Ce qu'on a volé hier aux entrepôts de la Monnaie de Pessac, si ça venait à se savoir...

— On y cache un trésor national ?

— Si seulement... On a volé des dessins, monsieur Beautrelet. Et si ces dessins sortent dans la presse, c'est le gouvernement qui tombe, le président de la République qui s'en va, la Bourse qui s'écrabouille, les marchés qui perdent la confiance, l'Europe qui implose, les États-Unis qui nous piétinent, la chancelière allemande qui nous réduit en marmelade et qui nous danse sur le ventre... J'ai eu un choc quand j'ai appris ce qu'il y avait dans ce coffre. Le ministre, M. Lamoureux, ne téléphone jamais au patron, ils se parlent quand ils se croisent dans des réceptions, c'est convenu d'avance tout ça, vous pensez, mais cette fois ils ont pris la ligne sécurisée. J'étais là. Et lui, il est parti à Pessac dans la minute.

— La Monnaie de Paris a son musée, si je me souviens bien, qui possède des trésors historiques insignes, des monnaies de toutes les époques et de tous les pays, le monnayage de Syracuse et celui de Métaponte, qui est d'une beauté absolue, les pièces célèbres frappées pour Jean le Bon, la série de l'"histoire métallique" de Louis XIV... Mais tout ça c'est à Paris, sur les quais... Les réserves sont à Pessac ? C'est une œuvre d'art ? Pourquoi me parlez-vous de dessins ?

— Monsieur, je vois que vous êtes savant, et pas seulement en science, vous deviez être bon en histoire. Moi c'était mon métier, j'enseignais l'histoire, alors Syracuse, Métaponte, Jean le Bon, et patati et patata, je connais...

— Ce n'est rien de tout ça ?

— On a volé les dessins à partir desquels on a déjà gravé les coins pour ce qui ne devrait pas exister : les modèles qui permettent en moins de douze heures, s'il le faut, sur ordre du président de la République, de frapper à nouveau...

— Quoi ?

« — Le franc ! Avec la date de cette année. Si on apprend que tout est prêt pour le retour à notre vieille monnaie locale… Le patron est très européen, il était comme fou !

— Où va-t-on ?

— À l'École du Rouvre, ça vous dit quelque chose ? »

*

Qui est cette petite fille que Beautrelet allait chercher en Suisse, à l'École du Rouvre ? Il sent qu'à force de ne plus penser à la conclusion de sa thèse, il est à deux doigts de la trouver. L'idée, toute simple, est à sa portée. Tantôt elle s'éloigne de lui, tantôt elle se rapproche…

Beautrelet a plusieurs hypothèses en tête. L'une d'elles s'impose, et il s'applique à y réfléchir avec méthode. Cette petite Aurore est, semble-t-il, née de parents inconnus, mais Lupin veille sur elle. S'il a demandé à Paul, qui n'a jamais songé à devenir médecin, de prendre l'identité d'un jeune interne, c'est peut-être, tout bonnement, qu'elle est sa fille cachée. Quel rapport avec sa thèse, ses recherches ? Lupin, en disant cela, voulait-il simplement faire un bon mot et s'excuser d'interrompre sa phase ultime de rédaction ? Un bébé-éprouvette ? Une fille de Lupin née par procréation médicalement assistée, ce serait un comble, lui qui a semé des enfants partout. Est-ce vraisemblable ?

Arsène Lupin a eu en effet, tous ses historiens et biographes l'ont écrit, une nombreuse descendance, il est peut-être même déjà au moins arrière-grand-père – mais une fille de trois ans, cachée en Suisse, quel scoop !

Si le jeune chercheur a fait fi rapidement de ses bonnes résolutions anti-Lupin, c'est qu'il s'est senti adopté : il a eu l'impression qu'Arsène avait désormais envie de lui faire connaître cette étrange petite sœur qu'il fait élever à l'écart. C'est qu'il a envie de laisser une chance au cambrioleur de lui livrer de sa propre bouche quelques-uns de ses secrets. Pour cette histoire de petite fille, il doute, il a peur que la vérité ne soit épouvantable, il ne sait pas tout. Il a aussi un mauvais pressentiment. Les aventures, ça peut être plus dangereux qu'on ne croit.

Jacques, enseignant dans l'âme, commentait les monuments en traversant Bâle : la cathédrale qui recèle la tombe d'Érasme, le musée, l'ancienne prison transformée en hôtel et qu'on appelle le Violon… Paul redevenait Isidore et n'écoutait pas trop. Très vite, ce fut la campagne, du côté de la Fondation Beyeler. Jacques devenait de plus en plus bavard – et Beautrelet, que les musées ennuyaient plutôt, n'en avait pas grand-chose à faire des morceaux de *Nymphéas* de Monet qui ont atterri là. Il demanda au chauffeur d'accélérer, ce qu'il se garda de faire. Aucun texto depuis celui de tout à l'heure. Son impatience tournait à l'exaspération.

Jacques, à cet instant, entendit un bip qui ne venait ni du moteur ni du grand orgue de Strasbourg. Un coup d'œil sur son téléphone. En un instant, sans rien dire, il accéléra. Beautrelet ne dit rien. Huit minutes plus tard, ils y étaient.

La grille peinte en bleu layette, au bout d'une longue avenue de chênes, faisait très bonne impression : les armoiries de cette pépinière de nouveau-nés de la jet-set se détachaient dans le fer forgé, avec la célèbre devise : *In robore fortuna*, « La fortune est dans le courage », que les mauvaises langues, les rustauds du canton de Bâle-Campagne, traduisent par « Y a du fric à l'École du Rouvre ».

Dans cette pouponnière pour ces heureux du monde qui n'ont pas encore appris à parler, et qui ont déjà tous pourtant été laissés là par leurs parents, Beautrelet arrive muni d'une lettre signée d'un certain professeur Artus de Limésy, « ancien interne des hôpitaux de Paris », pour venir consulter, en qualité de médecin envoyé par la famille, une jolie petite fille de trois ans à peine. La lettre précise qu'elle doit subir des examens de routine à l'hôpital américain de Neuilly, ce qui nécessite un petit aller-retour – et qu'elle peut être confiée sans difficulté au docteur Beautrelet, assistant du professeur de Limésy.

Pourquoi l'avoir mise à l'École du Rouvre ? C'est la meilleure et la plus chère d'Europe, on peut y être admis de la naissance à la fin du collège, mais il s'agit tout de même d'un mode d'éducation un peu rude. Il est vrai qu'on imagine mal un Lupin changeant les couches ou donnant le biberon. Il est toujours en voyage à travers le monde… Qui peut bien être la mère de cette enfant ? Pourquoi n'est-elle pas là pour voir grandir sa fille ? Lupin n'a rien dit, il a juste donné l'adresse, le chauffeur et une lettre.

«Désolé pour l'accélération finale.

— J'ai vu. Enfin.

— J'espère que nous n'arrivons pas trop tard. J'ai eu un texto du patron. Il a peur qu'on n'ait déjà enlevé la petite ! Il avait un mauvais pressentiment. Il avait capté des informations, avant-hier, c'est pour ça qu'il nous a demandé d'aller la chercher vite fait bien fait, il la veut avec lui.»

Jacques a bondi hors de la voiture. Il connaît les lieux. Il a entraîné Isidore directement dans le bureau du directeur, pour lui mettre la lettre sous le nez.

Aurore a sa chambre au second étage, ils prennent l'escalier en courant…

L'enfant est là. Elle dort. Personne n'est venu la voir.

«Tout va bien, dit Jacques, mais ne perdons pas de temps.»

Le médecin les accompagne jusqu'à la Jaguar. Jacques sort du coffre un siège d'enfant, le fixe. La petite Aurore, en pyjama bleu, ouvre ses grands yeux clairs.

«C'est moi qui vais conduire, Jacques, restez à l'arrière, vous vous occuperez d'elle mieux que moi…

— Entendu. On sera à Paris avant le lever du soleil. On va se relayer. On fera des pauses. La petite va dormir.»

*

À la première aire de repos avant Bâle, vingt minutes plus tard, Beautrelet « gare l'auto pour faire de l'essence », ainsi qu'il l'a dit en bon français de 1910, sans répondre aux questions de Grognard. Il s'est collé à une Twingo noire, alors qu'il aurait eu toute la place un peu plus loin.

Grognard fronce le sourcil. Heureusement qu'Isidore est là, ils sont deux au cas où ça tournerait mal, mais il ne se sent pas rassuré, faute de débutant de se garer comme ça. Il grommelle, ouvre sa portière.

Il faut qu'il récupère son arme, au cas où. Il l'a mise dans la boîte à gants.

Avant qu'il ait pu redresser la tête, face à lui, c'est Beautrelet qui tient le Sig-Sauer 2022.

Jacques est blême. Ce gamin le tient en joue. Trahi, par celui que le patron était prêt à considérer comme son fils.

À côté de Beautrelet, il y a une femme, tout en noir, qui est sortie de la Twingo au même moment.

Grognard la reconnaît. Ils parlent souvent d'elle dans la bande. C'est celle qu'on a vue à Strasbourg. Joséphine Balsamo.

Elle sourit. Elle aussi a une arme. Beautrelet, qui tient toujours le parabellum à la main, l'enlace une fraction de seconde, avant de parler.

« Pas de bêtise, Jacques. Je suis membre du club de tir d'Étretat, je m'exerce depuis que j'ai seize ans. Allez, tu montes devant, côté passager. Il y a un gadget dans ta jolie Jaguar que tu vas avoir l'occasion de tester, c'est la sécurité. Je vais t'enfermer dedans, et verrouiller. Il faudra le concessionnaire de Bâle et l'autorisation de la police pour sortir de là, demain matin j'imagine. Joséphine va s'occuper de la petite. Tu sais, elle saura, elle a une âme de mère. Il faudra dire à Lupin que ce n'est pas bien de jouer comme ça avec la vie des enfants. Tu entends ? Tu sauras lui répéter ma phrase ? Ce n'est pas bien de jouer avec la vie des enfants. Répète. »

Jacques, sans rien dire, s'installe à l'avant. Joséphine, en une seconde, détache Aurore qui commence à hurler. Elle monte avec elle dans la Twingo.

Le petit bruit d'horlogerie de la Jaguar qu'on verrouille juste après le claquement de la portière aurait ravi Jacques en d'autres circonstances. Il était prisonnier. Berné comme un bleu.

L'alliance de la Balsamo et de Beautrelet, il n'y avait pas pensé. Le patron ne l'avait pas vu venir non plus, ce coup-là ! C'était facile à prévoir pourtant, depuis Strasbourg.

À l'aller il avait eu un doute. Le moment où Beautrelet avait reçu un texto et pris l'air grave. Lupin lui avait dit : « Au moindre petit détail qui cloche, même si tu n'es pas sûr, tu préviens Karim, qui fera le lien entre nous. Je ne veux prendre aucun risque, tu entends ! »

C'est pour ça qu'il avait descendu la vitre et mis à plein tube *Jésus que ma joie demeure*. Il avait vu passer à sa hauteur la moto de Karim, qui les suivait. Il avait abandonné sa blouse grise d'épicier bobo et revêtu un blouson doré pour que Jacques le repère de loin. Quelques secondes, la musique avait été assourdissante, Jacques avait fait comme s'il s'était trompé

dans le réglage, pour lui faire entendre quelques
notes. Karim devait les escorter et alerter le patron
en cas de souci, «même pour trois fois rien». Il avait
entendu malgré le vacarme de la route. Il avait sans
doute appelé Pessac.

Jacques s'était trouvé idiot de lancer l'alerte pour
si peu, une mauvaise impression qui s'était dissipée
très vite ensuite, en parlant avec le jeune chercheur,
qu'il trouvait si sympathique. Karim devrait être là,
les avoir déjà retrouvés. Il n'allait pas rester sur ce
parking.

Maintenant, il fallait avoir un peu de courage et
appeler le patron. La consigne, en cas de gros pépin,
c'est de dire les faits, sans phrases. Reste que l'alliance de ces deux-là est monstrueuse, sans parler de
la différence d'âge : Joséphine Balsamo et Isidore
Beautrelet, amoureux, complices, enlevant la fille de
trois ans à laquelle Lupin tient plus qu'à sa propre
vie. Elle, c'est une criminelle, mais lui, ce petit jeune
si malin, comment a-t-il pu se faire avoir ? Elle se
venge bien.

Jacques résume au téléphone, blême, en une
phrase. Arsène lui dit qu'il n'est pas loin, il sera
sur place en vingt minutes. Karim l'a prévenu. Il a
deviné. Il aurait dû se douter.

Jacques dit Grognard entend alors au téléphone
la voix de Lupin son chef, telle qu'il ne lui a jamais
entendue, au bord des larmes, qui lui crie :

«Ce n'est pas ma fille, tu sais, cette petite enfant,
c'est ma protégée, ma fierté, ma perle secrète, ma
fiancée...»

*

La fiancée d'Arsène Lupin : c'est ce mot qui a fait que Paul Beautrelet a changé de camp. Il a lutté contre cette idée, il a étudié avec soin l'autre hypothèse, l'idée d'une fille cachée. Il ne pensait pas que Lupin lui demanderait son aide. Quelle inconscience ! Mais l'analyse ADN était claire. C'est ce que lui disait ce texto envoyé par Joséphine et qu'il avait reçu dans la voiture : « Il ne s'agit pas de sa fille. Cette enfant n'est pas de lui. Elle n'est pas à lui. »

Joséphine lui a apporté toutes les preuves, quand elle l'a rejoint en Suisse, sur ce parking horrible, les photos, les analyses médicales qu'elle venait juste de recevoir – et d'un seul coup, cet homme qu'il considérait comme un adversaire, qu'il aimait aussi, malgré tout, pour sa légende, pour ses exploits, pour son panache, lui a fait horreur. Un voleur d'enfant, d'enfant de trois ans.

Ils ont filé à Paris, d'une traite. Ils ont confié Aurore à une amie discrète de Joséphine, du côté de la porte d'Orléans, qui l'a couchée dans la chambre de sa propre fille, une vraie chambre d'enfant, où la petite allait avoir une amie, des jouets, une vie d'enfant normale, pour quelques jours, le temps de trouver une solution.

Cette nuit-là, Paul avait fait l'amour avec Joséphine sans retenue, sans remords, heureux de pouvoir se dire qu'il était, à tout jamais, dans le même camp qu'elle. Ils étaient au Peninsula, le nouveau palace à la mode, et ils avaient ouvert grand les fenêtres.

Il avait juré de faire justice. D'oublier Isidore et d'être Paul.

Il n'avait eu aucun scrupule, après ce que Joséphine, sa Joséphine, lui avait révélé, à trahir la confiance de cet homme. Décidément M. Lupin n'était pas un gentleman.

La petite fille, Aurore, avait été soumise, peu de temps après sa naissance, à un test ADN.

Pour reconstituer la stupéfiante vérité, Joséphine Balsamo avait mis moins d'un mois. Mais elle n'avait eu tous les documents qu'hier. Elle avait fait suivre Lupin, elle était allée travailler à l'École du Rouvre, comme aide-soignante, avait assisté au prélèvement sanguin qu'on avait fait à la petite fille. Elle ne comprenait pas qui était Aurore. Elle avait ensuite utilisé tous les fichiers ADN dont elle disposait, en vain : rien à la police nationale, où elle n'avait que des amis, rien du côté des répertoires des laboratoires américains où elle avait ses espions. Elle possédait aussi un mouchoir, trouvé par Ganimarion, volé dans son bureau quai des Orfèvres, qui avait été ramassé sur la scène du théâtre du Châtelet le soir où le policier avait réussi à toucher Arsène au bras, avant qu'il ne s'enfuie par les cintres. Contre toute attente, il n'y avait aucun ADN commun entre le cambrioleur et l'enfant.

La réponse était venue de Suisse. Un ami de Joséphine, un des meilleurs médecins de Genève, qu'elle avait chargé de fureter du côté des laboratoires un peu plus secrets que les autres, avait retrouvé la trace d'un cambriolage qui avait eu lieu trois ans plus tôt. On avait fracturé l'accès d'un labo qui proposait à quelques clientes fortunées un service bien particulier, interdit par la loi dans plusieurs pays, mais que certaines sociétés américaines offraient à leurs meilleures employées. Il s'agissait de prélever et de congeler des ovocytes. Aux États-Unis, on présentait cela comme un progrès de l'égalité : pour que les femmes puissent être aussi nombreuses et puissantes que les hommes dans la jungle du business, il fallait qu'elles évitent de perdre les dix années décisives, entre trente et quarante ans, qu'elles consacrent plus ou moins à faire naître et élever des enfants. La congélation des ovocytes permettait d'être mère plus tard, une fois la carrière construite, et de choisir l'homme que mérite une femme qui réussit, sans qu'elle se sente obligée de traîner comme un boulet l'étudiant qui l'avait séduite en sortant du campus l'année de ses vingt-trois ans.

Hier, Joséphine avait confronté l'ADN d'Aurore à celui de sa vraie mère, que son ami suisse lui avait envoyé. Lupin détenait, avec cette enfant, qu'il retenait comme prisonnière, une arme, une botte secrète, le moyen d'abattre, quand il le voudrait, le plus puissant empire industriel français. L'ADN était formel : Aurore était la fille de la célèbre Hélène Blomot, qui ne pourrait pas nier, quand on la lui présenterait.

Aurore sera, quand elle aura dix-huit ans, l'héritière du groupe Blomot, la seule enfant de ce couple qui n'avait pas réussi à en avoir, Hélène Blomot – la plus célèbre femme d'affaires française, huitième

fortune du monde –, et son mari, Athanase, le pianiste international. La petite fille, une fois son identité établie, aura tout. Lupin avait sans doute prévu de
l'épouser et de prendre sa revanche.

Dans les magazines, le couple Blomot était de
toutes les fêtes, ils avaient la quarantaine rayonnante,
on les voyait à Saint-Tropez, au pôle Nord et au
Vatican, ils étaient à la tête d'une fondation, créaient
des musées d'art contemporain et des auditoriums
pour les concerts de rap dans les cités défavorisées,
ils avaient la charité exhibitionniste, et ne cessaient
de racheter des entreprises, d'abord dans l'industrie textile, puis automobile, et enfin des usines
chimiques. C'était l'exemple même de la réussite à
la française. Quelques articles osaient ajouter que
le drame de leur vie était de ne pas pouvoir avoir
d'enfant.

La vérité est qu'à quarante-trois ans, Hélène
Blomot avait enfin décidé qu'elle serait enceinte
l'année suivante, que son mari, qui ne lui parlait plus
guère qu'en public, avait fait savoir que si ce n'était
pas lui le donneur, il n'en ferait pas un drame. Il
reconnaîtrait l'enfant, quoi qu'il advienne. Il acceptait d'être père.

C'est alors que ce cambriolage avait eu lieu,
dont absolument personne ne parla. Des dizaines
de petites mallettes d'aluminium avaient disparu la
même nuit des laboratoires Cazoar de Coppet, à côté
de Genève, une filiale de l'empire Blomot. Parmi
eux se trouvaient les éprouvettes qui appartenaient à
Hélène Blomot, qui fit étouffer l'affaire.

Lupin aurait pu demander une rançon. Il fit bien pire : il offrit un bel appartement à une jeune femme qui accepta, à Paris, de porter un enfant, dont le père était un inconnu représenté par une autre éprouvette venue d'un hôpital de Grenoble. Dans ces conditions modernes naquit la petite Aurore. Lupin avait décidé de la maintenir au secret, et de la laisser grandir…

« Je suis Joséphine Balsamo, tu comprends, mon Paul chéri, la dernière héritière du comte de Cagliostro, le mage qui jouait déjà avec l'ADN sans le savoir au XVIIIᵉ siècle, du temps du baquet de Mesmer, et qui aurait pu cloner la reine Marie-Antoinette s'il l'avait voulu à partir des quelques gouttes de sang qu'il recueillit sur l'échafaud le 16 octobre 1793. Ces histoires génétiques, je connais cela par cœur. Et j'ai des principes. Simples. On ne crée pas un enfant pour son plaisir, que dis-je, pour lui voler son argent. On ne dispose pas d'une jeune fille. On ne l'élève pas en secret pour pouvoir l'épouser. Tu vois enfin que cet homme a mal agi. Il me répugne. »

*

Le rendez-vous place Dauphine n'avait pas été annulé.

Lupin y serait. Beautrelet en était certain. Il avait retrouvé son studio de la rue du Pont-aux-Choux ; la botte de Cartouche, en façade, avait été repeinte, elle criait comme un fanal à l'entrée d'un port. L'épicerie d'en face était « fermée pour congés annuels ».

Au téléphone, avec l'élan du désespoir, Beautrelet avait obtenu du professeur Foucart la promesse que sa bourse de recherches serait prolongée d'un an, et qu'il n'était pas obligé de lui rendre ses conclusions de thèse à la fin de la semaine. Il respirait. Il allait mieux.

Ce rendez-vous à deux pas du Palais de justice, près de la statue équestre d'Henri IV, Paul tenait à y aller avec Joséphine, en amoureux.

Lupin était bien là, en terrasse, devant une orangeade, sans déguisement, démaquillé, vaincu. Il ne se leva pas pour les accueillir. Il paraissait accablé. Il ne leur parla même pas.

Ses yeux se fixaient sur Beautrelet. Ils se dirigeaient ensuite vers le visage de Joséphine. C'est comme s'il avait cessé de voir, cessé de penser.

Au moins ne fuyait-il pas leurs regards, il semblait même les chercher. Le couple ne s'est pas assis. La terrasse du café était vide. Il ne faisait pas si beau. Il n'y avait qu'eux trois sur la place déserte, avec au fond quelques joueurs de boules, et Beautrelet se demanda s'il n'y avait pas parmi eux Jacques dit Grognard ou Karim.

Joséphine, comme elle avait en face d'elle ce Lupin qu'elle avait autrefois tant aimé, et à qui elle avait offert tous ses secrets, se lança dans le grand air de la vengeance.

C'était la Reine de la Nuit :

« Ce que je ne supporte pas chez toi, Arsène, c'est le regard que tu portes sur les femmes. Tu es resté un ringard des années 1910, même pas de

1925. Quand la mode des "garçonnes" est arrivée, tu t'es récrié, cela t'a fait horreur. Tu aimes les robes du soir, les bijoux chers, les parfums capiteux. Les seules femmes qui comptent pour toi sont celles dont tu peux faire tes proies, tes objets, tes instruments, tes maîtresses. Quand une femme est riche, tu veux l'épouser, comme à l'époque où tu avais voulu devenir le mari légitime d'Angélique de Sarzeau-Vendôme parce qu'elle héritait des princes de Bourbon-Condé. La fortune des Condés ! Aujourd'hui tu rêves de la fille d'Hélène Blomot, c'est la même chose, il n'y a que l'époque qui a changé, et comme cette héritière n'existe pas tu la fais fabriquer afin qu'elle te serve, avec son prestige, son argent, son réseau. Tu crois que cette enfant acceptera, comme cela, parce que tu l'as voulu, parce que tu lui feras ton irrésistible sourire, de devenir Mme Arsène Lupin ? Sais-tu toi-même qui tu es ? Tu changes de nom, tu changes de visage, tu changes de vie, tu changes de maisons et de compagnes, tu as fini par être pour toi-même un illustre inconnu. Tu as peur, Arsène, d'être vraiment toi-même ? Tu as peur de ne plus savoir qui tu es ? De ne pas être capable de montrer à une femme qui est l'homme qui lui dit "je veux vivre avec toi" ? Tu as beaucoup fait souffrir, mais c'est toi, tu sais, que je plains. Et tu n'as plus le droit de continuer ainsi à faire le mal. "Lupin ne tue pas", tous les journaux le répètent, mais tu fais pire, tu tortures, tu blesses, tu brises, tu casses tes adversaires, et surtout si ce sont des femmes. Tu ne tues pas parce que tu es lâche. Assassiner te fait peur.

Aurore doit grandir comme une petite fille de son âge. J'ai tout fait pour que ce soit le cas. Tu peux être rassuré. Même si cela n'a pas été très facile à expliquer à ses parents. Ils sont arrivés à comprendre qu'ils avaient une fille, qu'ils avaient désirée, mais qu'ils n'avaient pas vraiment contribué à mettre au monde... Les seules femmes que tu admires, avec lesquelles tu partages des idées, que tu considères comme des égales, et j'ai été une de celles-là, je crois, souviens-toi, au fond tu les traites comme des hommes. Tu m'écoutes, Lupin ? »

Elle ne le regardait plus, de peur que, d'un coup d'œil, il ne l'empêche de continuer. Mais rien ne pouvait faire taire Joséphine Balsamo, descendante des plus grands magiciens d'Europe, dernière du nom, la comtesse de Cagliostro :

« Pour toi je suis en quelque sorte un adversaire, un rival, un ennemi digne de croiser le fer avec toi, comme dit le cher Maurice Leblanc. Mais non. Je suis une femme, comme n'importe quelle autre. Une femme qui te parle. Qui ose. Regarde dans ton miroir, l'Arsène ! Tu es un séducteur ringard, un gominé, un danseur de tango de l'entre-deux-guerres, tu as un côté mes-hommages-madame qui fait pitié, tu n'as pas su évoluer, tu n'as pas su rajeunir. Regarde la pauvre Miyako, une fille intéressante, intelligente, ouverte, tu n'as vu en elle que la demoiselle aux yeux verts, une poupée que tu pouvais jeter dans les bras d'Isidore, pour qu'elle te soit utile, un délicieux petit objet de porcelaine dont tu as eu la fantaisie, sans scrupule, de te rendre maître à ton tour, avant de la mettre au rebut, en l'humiliant devant son père. Alors que cette fille avait fait un travail formidable pour son pays, alors que c'était elle qui était héroïque dans l'aventure, et pas toi. Regarde-toi, Lupin, tu es un bel homme, athlétique, séduisant, intéressant, tu as des idées sur tout, tu comprends le monde mais ton cœur a cent ans, peut-être même un peu plus. Alors tu fais l'avantageux, tu pirouettes, tu danses entre les réverbères et tu sautes par-dessus les haies, mais ça suffit, maintenant. Arrête-toi et observe-toi. Tu devrais te faire horreur. Tu ne cambrioles pas les mêmes choses qu'en 1900, mais tu as le même regard. Tu te souviens de la chanson de la télévision, la série inspirée par tes aventures, tu aimais bien l'ORTF, encore une de tes périodes fastes, c'était Jacques Dutronc: "Et quand il rencontre une femme, il lui fait porter des fleurs." Mon pauvre! Tu en es encore là! Tu n'as pas compris que les femmes n'en veulent plus de tes bouquets de chez Lachaume! Tu les fais rire! Et c'est trop tard, mon vieux, tu ne changeras plus… »

Lupin alors se leva.

Il n'eut pas un geste vers Paul, et ne s'adressa qu'à la Cagliostro:

«Hélène Blomot est une tueuse. Cette femme est un monstre de glace. Elle a bâti son empire en dix ans, en marchant sur trente têtes. Elle n'a depuis toujours qu'une idée, réussir. Pas le temps d'avoir des enfants. Son mari, le pianiste, c'est comme si elle l'avait voulu tel un ornement dans son jardin d'hiver, un bel animal, comme si elle l'avait castré.

Elle avait eu recours à cette clinique spécialisée dans la congélation des ovocytes pour s'offrir un luxe de plus : avoir un enfant, pour avoir une héritière, pas pour l'aimer, pour avoir sa fille après quarante-cinq ans, une fois l'empire construit. Elle allait "faire un bébé", comme disent certaines femmes, pour posséder un instrument de pouvoir de plus. Cette enfant, je l'ai sauvée, cette petite Aurore, je lui laissais le droit de faire ce qu'elle voulait de sa vie. Elle m'aurait aidé à ruiner sa mère, c'est entendu, mais grâce à moi elle échappait au terrible déterminisme de cette famille, je l'aurais rendue libre. »

Paul l'interrompit :

« Vous vouliez qu'elle passe toute sa vie dans des pensionnats suisses, c'était votre idée de son bonheur ?

— Et pourquoi pas ? Je voulais en faire une femme indépendante, qui à dix-huit ans serait devenue une femme riche. Je l'aurais protégée, comme une petite fiancée, mais je n'avais pas l'idée absurde d'en faire une épouse. Vous me voyez, épousant une femme si jeune... Joséphine Balsamo, elle, est une femme cougar d'aujourd'hui, elle croit que tout le monde lui ressemble. Une petite fille de trois ans... C'est vous deux qui êtes des monstres. Maintenant, qu'allez-vous faire d'elle ? Vous voulez la mettre dans un orphelinat, la manipuler pour qu'elle prolonge la dynastie des Cagliostro ? Vous avez réellement raconté tout cela aux Blomot ? Ils vous ont crus ? Toi, Isidore, j'espère que tu auras de vrais enfants, une nichée de petits Beautrelet, pour l'avenir, que je puisse continuer ma longue histoire d'amitié avec ta famille...

— Lupin, ça suffit, coupa la Cagliostro. Cette enfant, nous avons agi pour qu'elle soit entourée de vraie affection, comme n'importe quelle petite fille de son âge. Cette histoire montre ce dont tu es capable. Tu t'es jugé. »

*

Dans *Le Figaro*, le lendemain matin, la rubrique «carnet du jour» annonçait qu'Hélène et Athanase Blomot se réjouissaient d'annoncer l'arrivée dans leur foyer d'une petite Aurore âgée de trois ans, qu'ils avaient été heureux d'adopter.

Chapitre 6

Le bouchon de cristal

Arsène Lupin se souvient d'avoir connu le spleen, la mélancolie des paquebots, le vague des passions, les dimanches d'août, la nausée des mauvais matins et la tristesse des fins d'amour, mais pas autant que ces derniers mois. Il se sent seul. Sa petite bande s'ennuie de lui et attend en vain ses ordres. Il navigue ce matin-là entre deux rêves au-dessus des cimes des arbres du bois de Boulogne qu'il aperçoit en face de son lit. Il est déjà passé par ces moments, au cours de sa trop longue vie d'aventures, sa vie secouée entre deux mondes, sa vie d'enfant fugueur et maltraité, de séducteur trop vite comblé et si souvent déçu, de cambrioleur insatiable et insaisissable, jamais satisfait, mais cette fois, il expérimentait seul, depuis deux mois, face à lui-même, une maladie à laquelle il ne s'était pas vraiment préparé, le mal de ce temps : la dépression.

Il n'était pas un gentleman. Il n'était plus un cambrioleur. Il n'avait plus de goût pour rien. Plus de goût pour la vie, plus d'envie de faire du sport ni

d'enrichir son répertoire de naïfs à escroquer. Quand
on est incapable de mourir, cela complique encore un
peu les choses : lui, le magicien qui n'avait plus le
goût d'inventer de nouveaux tours, au moins avait-il
la satisfaction d'être un cas d'école. Il avait envie
de demander à Grognard de se déguiser en Lupin et
de vivre un peu à sa place... Il se répétait, en regardant le plafond, cette triste rengaine : « Je... néant...
vide... rien... »

Même l'envie de taquiner le Ganimarion semblait lui être passée. Pourtant, Arsène est content de
sa nouvelle « chaumière à surprises » – comme on
disait au temps de Marie-Antoinette à Rambouillet –
ultracontemporaine. Son ami Frank Gehry – Lupin
non seulement aime les architectes, mais il leur
donne plein d'idées – lui a aménagé au sommet de
la nouvelle fondation culturelle qui vient d'ouvrir
au Jardin d'Acclimatation, en bordure du bois de
Boulogne, un penthouse invisible du sol, quatre
pièces bien conçues avec une vue panoramique, qui
lui suffisent : il a toujours aimé la belle architecture.
Celle-ci ressemble à un avion de glace, enseveli sous
les séracs et les blocs transparents abandonnés par les
avalanches, traversé de soleil, un igloo de grand luxe
pour ours bipolaire.

On y accède par un ascenseur bien visible, dans
le fond du hall du nouveau bâtiment inauguré l'an
passé, à côté de la librairie : aucun visiteur de ce lieu
d'expositions à la mode n'a jamais remarqué les
allées et venues de ce personnage, qui n'est jamais
tout à fait le même selon les jours. À la nuit tombée,

un badge donné par le propriétaire lui permet de passer devant les vigiles : c'est un des lieux les mieux protégés de France. Il erre, de nuit, parmi ces collections d'art contemporain, ces immenses formats – que c'est malin de lui avoir proposé d'habiter là, il s'y sent chez lui et n'a aucun désir de cambrioler, ce qui serait de la pure ingratitude.

Le matin, il aime voir ces voiles gonflées, ces coques transparentes qui font naître, exprès pour lui, des arcs-en-ciel, mais ne suffisent pas à son bonheur. Il aurait envie de remplir ces hautes salles blanches, d'y accrocher des toiles historiques à touche-touche, du sol au plafond, comme dans les grands salons d'un musée du XIXᵉ siècle – « ça aurait de la gueule ! ». C'est pour lui, déjà, en 1889, que Gustave Eiffel avait créé ce joli « deux pièces-salle de bains », au sommet de sa tour, qui se visite encore aujourd'hui et qu'on a baptisé, pour faire taire les rumeurs, « appartement de M. Eiffel ». Du haut de ces monuments, il ne domine pas seulement la ville, mais l'époque tout entière.

Il s'est dit, quand il est venu là, que ça serait excellent pour son moral de loger à l'intérieur d'un gros diamant. Il y a d'ailleurs apporté le Régent, son jouet favori en ce moment, le plus beau des joyaux de la Couronne. Il s'amuse à le regarder, à souffler dessus pour voir la buée s'effacer d'elle-même en un instant, à le comparer au Wittelsbach, qu'il a acquis l'an dernier et qu'il a placé dans un vide-poche sur son bureau. Personne, au Louvre, n'a osé dire que le caillou avait été volé. Au musée c'est un sujet tabou, dans la galerie d'Apollon, cela fait plus de six ans que la grosse vitrine en bois doré portant les initiales RF entrelacées, ce gros coffre ventru où la République expose les vestiges de la royauté, ne présente plus le Régent. Le Louvre a prétexté les échafaudages nécessaires aux travaux de restauration, qui font qu'on ne peut plus sécuriser la galerie – mais il n'était pas bien compliqué de montrer le Régent ailleurs... Et s'il y a en effet des échafaudages à cet endroit, il est facile de voir qu'ils ne masquent pas de travaux. Lupin a constaté que nul n'a protesté : les journalistes s'en fichent, le ministère n'a rien osé faire, et aucun visiteur du musée ne semble s'être étonné de l'absence du diamant, toujours vendu en carte postale. La France aurait pu le vendre, l'hypothéquer comme pendant la campagne d'Italie du général Bonaparte, le mettre au clou, cela aurait été dans l'indifférence générale. En 2017, pour le tricentenaire de son acquisition, Lupin avait l'idée d'une restitution à la nation, mais cette fois avec une contrepartie, un vrai titre de propriété de l'Aiguille d'Étretat, d'où il avait été honteusement délogé et où ses appartements, vides depuis si longtemps, devaient sentir l'humidité.

En attendant, rêvant à tous ces hauts personnages de l'histoire, ses prédécesseurs, dans sa maison solitaire, toute fraîche, Lupin fait jouer entre ses doigts gantés de chamois blanc la pierre qui orna le gilet de Philippe d'Orléans, le chapeau de Louis XV, l'épée de Louis XVI, le glaive du Premier consul, le décolleté de Marie-Louise et le diadème à la grecque de l'impératrice Eugénie. À la différence du Sancy ou du Hope, qui portent la poisse, le Régent a toujours été un peu caméléon, donnant sa chance à qui était heureux, et laissant le malheur à qui n'en était pas digne.

Lupin a opacifié, avec une télécommande grande comme sa carte de visite, les cloisons de verre de la chambre, et se concentre sur son écran. Aujourd'hui, comme depuis un bon mois déjà, il est tel qu'en lui-même : ni lentilles de contact de couleur, ni cheveux teints, ni botox ni fausses rides, il s'offre de temps à autre ces moments – que Ganimarion donnerait cher pour pouvoir filmer – où Lupin n'est rien d'autre qu'Arsène. Autrefois, ces jours-là, il se préparait un bon dîner en s'inspirant des recettes de sa vieille Victoire. Lucullus-Lupin dînait alors tranquillement avec Arsène-Lucullus. Il avait la paix. Mais là, il regarde le Régent en éventrant des paquets de chips, il n'a pas faim, et même plus la force de se raser. Depuis des mois, il ne s'exerce plus avec ses haltères, ne court plus le long de la petite ceinture entre les vestiges du Paris disparu. Il se fige devant son ordinateur et regarde des séries anglaises.

Il est tombé dans une sorte d'addiction pour la série *La Mort qui rôde*, produite par la BBC. Les trois premières saisons ont connu un immense succès commercial et mondial. Il a été pris d'une forme de folie en regardant pour la dixième fois un des derniers épisodes, filmé de manière magistrale, en se demandant comment l'héroïne, Wallis, va ressusciter, alors qu'elle vient de se noyer et qu'on a repêché son corps dans le Loch Ness.

On a vu son cadavre en gros plan, et la police a reconnu que c'était bien elle, analyses ADN à l'appui.

À la fin de chaque saison, il y a un mort, dans un lieu célèbre et surprenant.

La société de production a lancé un jeu, avec une cagnotte colossale, digne d'une série de diffusion planétaire, remise au vainqueur. Il faut deviner qui va mourir, dans quel genre d'endroit, et de quelle manière – sachant que des indices ont été instillés dans les épisodes précédents, bien sûr. Au début de la série suivante, qui sort un peu moins de six mois après, le mort réapparaît, et on comprend seulement à ce moment-là comment le crime a été organisé – ingénieuse manière de pousser à regarder la suite.

Lupin, qui ne tue jamais, est le champion des faux cadavres et des résurrections. Les acteurs de *La Mort qui rôde* lui plaisent, cette Wallis a du chien, les décors sont superbes, la construction du scénario irréprochable. Ces séries sont tellement mieux faites que les enquêtes et les aventures du monde réel…

D'où l'envie d'aller cambrioler ces histoires qui passionnent tout le monde. Lupin, de guerre lasse, a voulu jouer à manipuler ces fictions à rebondissements dès la fin de la première saison. Pour ne plus rien avoir à faire avec la vraie vie, sans doute. Certes, il n'aime pas la part de hasard qui subsiste dans ce jeu – on peut deviner sans avoir vraiment réfléchi, aller d'instinct vers la solution, sans trop de raisonnement – mais il a envie de gagner, ça l'amuse. Il a donc tout organisé pour cela.

Une première fois, il a gagné sans difficulté, sous le nom de Luis Perenna, domicilié à Barcelone, et il avait même donné une interview pour expliquer qu'il avait revu dix fois la série avant de déduire le nom de la victime et celui de son assassin.

Pour empocher la somme de dix millions d'euros mise en jeu, il avait pensé que le plus simple était de contrôler cette série. Une seule solution pour cela : écrire lui-même la suite. Construire un bon scénario, trouver l'astuce qui servirait à perdre le spectateur quelques instants avant le meurtre, c'était dans ses cordes.

La seule difficulté c'est qu'à Londres huit scénaristes travaillaient déjà, en cascade – l'un pour l'idée générale, l'autre pour la structure, le suivant pour un premier jet des dialogues, un autre pour les traits d'humour britannique, jusqu'au relecteur ultime chargé de tout unifier et de ciseler les futures répliques cultes, tous soudés par un bon esprit d'équipe, dans une maison du quartier de Kensington –, et qu'il était compliqué de les remplacer par huit experts de sa bande.

Au lieu d'enlever les huit scénaristes, ce qui aurait fait du bruit, il les avait invités à participer à un atelier d'écriture de grand luxe. Il les avait installés à Saint-Barth, dans un palace de rêve : La Grotte des Demoiselles – du nom d'une curiosité naturelle d'Étretat –, qui lui appartient, avec l'accord enthousiaste de la société de production. Pour ces huit dialoguistes, trouveurs d'idées et autres fabricants de suspense, cette transplantation brutale aux Caraïbes avait été, comme prévu, l'équivalent des délices de Capoue pour les armées d'Hannibal : entre la piscine, la plage, les cocktails, le confort des petites maisons de bois, les longues siestes sur les pontons et les promenades en mer, ils avaient oublié le temps, les délais, le style, les règles les plus simples de l'écriture. Ils goûtaient mollement à la joie de la reconnaissance internationale que leur avait apportée leur génie. Lupin filtrait leurs mails, sous couvert d'assurer la sécurité au nom de l'hôtel, et s'apercevait qu'ils envoyaient, comme il l'avait prévu, pour chaque épisode, des scénarios de plus en plus nuls – et en réalité il s'amusait comme un adolescent à les réécrire entièrement, et à transmettre les résultats aux équipes de tournage qui grelottaient en Écosse.

Il devint ainsi le seul véritable auteur de la saison 2, cambriolée de l'intérieur – sans qu'aucun des scénaristes ait osé se plaindre du magnifique résultat. Tous avaient vu la série, et aucun n'avait moufté – puisqu'on leur avait promis de reconduire leur pension au soleil, chacun faisant mine de croire que son confrère avait sauvé in extremis un scénario un peu moins réussi que d'habitude. Lupin s'amusait comme un fou.

Un peu avant la diffusion du dernier épisode de cette saison-là, il avait sans peine raflé une cagnotte qui s'était enrichie grâce aux paris en ligne et aux réseaux sociaux. Désormais, tous voulaient savoir si le génial Luis Perenna de Barcelone réussirait à trouver le fin mot de la saison 3. Le Catalan se murait dans le mystère, nul ne l'avait revu depuis sa toni-truante intervention de l'an passé.

Mais cette fois il sèche. Alors qu'il aurait dû gagner de nouveau. Puisqu'il avait triché exacte-ment de la même façon. Son désintérêt général pour le monde lui avait, là aussi, dans cet univers factice qu'il pensait contrôler, joué des tours…

Lupin était dépassé. Les morceaux de scénarios envoyés depuis Saint-Barth étaient encore plus mauvais que d'habitude – et lui, au lieu de frétiller, de réécrire dans la fièvre en riant beaucoup, s'était retrouvé plongé dans une angoisse qui lui faisait mal, premier symptôme de la dépression qui ne tarda pas à le submerger : plus d'idées, plus de res-sort, juste un sentiment d'impuissance devant des textes médiocres, qu'il retouchait à peine avant de les renvoyer à la production, lassé, blasé. La série 3 s'annonçait lamentable. Il avait baissé les bras. C'est alors que, cinq mois plus tard, le premier épisode était sorti.

Un épisode parfait, avec cette Wallis qui enchaî-nait les mots d'esprit, indifférente en apparence à l'atmosphère sinistre de la campagne écossaise en plein hiver qui créait un incomparable décor. Elle avait décidé, pour protéger son mari, agent secret, de s'afficher avec une doublure, un clochard de Glasgow qui ressemblait vaguement à l'homme traqué, et à qui elle offrait une vie de gentleman-far-mer, qu'elle éduquait, habillait avec élégance, et qui servirait de chair à canon le jour où les terroristes le dégommeraient. Ce mélange de Pygmalion à la

George Bernard Shaw et de terrorisme afghan électrisa le public. Évidemment, le clochard, qui ne comprenait rien à ce qui lui arrivait, tombait amoureux de cette bienfaitrice envoyée par le Ciel – et le véritable mari, planqué, cessait brutalement de donner signe de vie. Les assassins cernaient la maison, observaient la vie du couple – qui faisait encore chambre à part à la fin de l'épisode. Des webcams avaient été posées dans la vieille demeure par les terroristes, cela créait un vrai théâtre dans le théâtre, un peu comme dans *Hamlet*.

Or tout cela ne ressemblait en rien au synopsis que Lupin avait transmis et qui avait été validé. Les idées étaient bonnes, les ingrédients du succès étaient là...

Lupin était obligé de se rendre à l'évidence : les deux premiers épisodes étaient excellents, meilleurs sans doute que ce qu'il aurait pu faire dans ses moments de grande forme intellectuelle.

Une conclusion lui vint à l'esprit, qui ne l'aidait pas à secouer son marasme : la même aventure était arrivée à Alexandre Dumas. Son nègre habituel, Auguste Maquet, étant malade, le grand feuilletoniste se désespérait et s'attendait à ce qu'on lui réclame à cor et à cri une copie qu'il ne pouvait fournir, étant en voyage en Sicile. La lettre de Maquet l'avait alarmé – mais, par un incompréhensible miracle, les feuilletons de Dumas continuaient à paraître, à la grande surprise de celui-ci, qui était seul à savoir que Maquet ne pouvait rien rendre –, il avait appris à cette occasion que son nègre avait un nègre, et que Maquet déléguait tout à Gaspard de Cherville, honorable légitimiste qui écrivait des contes de chasse et de pêche dans sa gentilhommière, et qui avait une excellente plume alliée à de grandes facilités.

Lupin avait vite vu qu'une intelligence rivale, qui devait avoir percé à jour son stratagème, s'était amusée à le doubler, en s'interposant entre lui et la production, pour envoyer les excellents scénarios de la saison 3 : il ignorerait du coup comment le meurtre allait avoir lieu, qui serait tué. Cela signifiait que cette fois-ci Luis Perenna ou quelque autre de ses incarnations n'arriverait pas à toucher la cagnotte.

En jouant avec le Régent, qui décomposait la lumière comme un prisme, Lupin, un matin, avait compris. L'inconnu, ce ne pouvait être que son double, le fils qu'il aurait voulu avoir – fils dévoyé, puisqu'il s'est juré de faire le bien, d'être honnête, de ne rien voler… Beautrelet et lui seul pouvait être assez machiavélique pour avoir deviné qu'il était hors d'état d'agir, et pour prendre sa revanche en humiliant ainsi son vieux papa Lupin.

Aucune preuve, juste une intuition – et même si ses capacités intellectuelles étaient affaiblies, Lupin avait encore son flair. Cette manœuvre avait un côté potache, étudiant en thèse voulant faire son malin, qui ne pouvait venir que du petit Beautrelet, qui passe lui aussi ses nuits à regarder les dernières séries à la mode – c'est bien la culture de cette généra-tion… Sans compter qu'il l'avait vu, place Dauphine, lors de leur dernière rencontre, dans la pose du vainqueur et que lui, Lupin, avait eu l'air de perdre la face. Beautrelet était sans doute aussi le seul à savoir que Luis Perenna est un des noms habituels du cambrioleur, et sans doute avait-il reconnu son visage derrière les postiches de celui qui avait répondu aux questions des journalistes devant la Sagrada Família de Gaudí, cette aiguille d'Étretat éternellement en chantier...

Cette fois, voilà pourtant l'honnête petit Isidore sur la pente d'une grosse escroquerie... Bien sûr, il ne pourra jamais dire qu'il est l'auteur des épisodes de la saison 3. Il ne pourra pas toucher les droits de diffusion sans se dévoiler, mais il va envoyer la bonne réponse au jeu et empocher la prime. La somme est très importante, ce n'est pas cela qui désole Arsène : non seulement il se sent incapable de répliquer mais il a été totalement roulé. Beautrelet doit rire, dans son studio d'étudiant, pendant que lui, dans son diamant en lévitation au-dessus du bois de Boulogne, se contente de visionner dix fois le troisième épisode de la saison 3, plongé dans le désespoir et l'admiration, amorphe, livide, désespéré, déshérité par son fils...

La question à laquelle il se raccroche, dans son désarroi, est la plus simple : pourquoi Beautrelet, qui devrait être totalement accaparé par la fin de ses recherches, qui bénéficie d'une année de bourse lui permettant de subvenir à ses besoins, et à qui la Cagliostro a dû ouvrir en plus de cela un crédit illimité, ses laboratoires et ses usines de médicaments, a-t-il envie de gagner autant d'argent ? Est-ce seulement pour se jouer de lui ? Pourquoi perdrait-il du temps à s'occuper d'un Lupin qu'il estime avoir déjà bien assez jeté à terre et piétiné comme cela ? Quels besoins nouveaux ce petit félon peut-il bien avoir ? Derrière la réponse à cette question se trouve la faille – le point d'appui qui pourrait sans doute permettre à Lupin de renverser la situation. S'il en avait la force.

*

La BBC a diffusé ce soir un nouvel épisode, où rien ne laisse pressentir qu'il va y avoir un meurtre. En plein cauchemar, c'est un conte de fées, une goutte d'eau de rose perturbant la préparation acide et vinaigrée que les épisodes précédents avaient patiemment mise au point. Alors qu'on suivait les terroristes, qu'on imaginait qu'ils allaient attaquer, l'action était centrée, dans la maison de Wallis, sur l'idylle entre la belle et son ancien clochard, voici une sorte de pause fleur bleue en pleine terreur. L'œil du cyclone : excellent procédé, avec une scène torride où elle cède enfin, un adultère qui complique encore la psychologie de la protagoniste, filmé par une caméra de surveillance installée dans sa chambre à son insu, sous l'œil de deux malabars enchantés de ce divertissant interlude. Beautrelet s'était surpassé. Le personnage du mari agent secret n'apparaissait pas du tout dans cet épisode : avait-il déjà été tué ? Où était-il pendant que sa doublure grossière, qui avait pris goût aux chemises de luxe et aux beaux souliers, se jetait sur sa femme ? Et elle, la sublime Wallis, acceptait-elle cette scène d'amour avec l'imposteur parce qu'elle la savait filmée, pour convaincre les terroristes que l'homme qui était dans le lit avec elle était bien leur cible ? Était-elle en train de tromper son mari pour lui sauver la vie ? Il est probable qu'Alexandre Dumas, quand il avait écrit le chapitre des *Trois Mousquetaires* intitulé « La nuit tous les chats sont gris » où règne ce genre de confusion érotique et dramatique, n'aurait pas trouvé mieux. Lupin était obligé de reconnaître que lui non plus n'aurait pas été aussi bon : le petit faisait du joli travail. De quoi écumer de rage.

Lupin, une minute après la fin des soixante-cinq minutes, prend sur lui. Il fallait que cette situation absurde cessât d'une manière ou d'une autre. Il appuie sur la télécommande pour faire à nouveau la pleine lumière dans sa chambre, le grand toit glisse sur ses rails, lent battement d'aile de chauve-souris. Il a oublié que c'était la nuit, et regarde le ciel et les étoiles comme s'il se trouvait dans un observatoire astronomique.

Il ravale son orgueil. Il va avoir enfin un peu d'énergie et de courage.

*

Isidore le vit apparaître dans un demi-sommeil. Ou plutôt il reconnut d'abord, les yeux encore fermés, l'accent espagnol de don Luis Perenna. Les volets entrouverts du repaire de Cartouche projetaient les premières lumières du jour et il n'eut pas besoin de regarder longtemps la silhouette qui se découpait dans l'unique fauteuil Voltaire, qui faisait tout le chic de son intérieur.

«Allez debout, Isidore, tu as assez dormi. Je t'ai apporté des croissants. Et des empanadillas tout craquants, tu vas aimer.

— Lupin!

— Et pourquoi pas?

— Comment êtes-vous entré? J'avais fermé la porte à clef, mon verrou de sûreté. Je n'ai rien entendu.

— Tu t'étonnes que Lupin perce les murs sans bruit? Tu débutes ou quoi? Joli pyjama bleu, de chez Charvet, elle te gâte, crebleu, la Cagliostro. Tu n'as pas honte, tu sais quel âge elle a? On se posait déjà la question à son sujet à Trianon en 1788…

— Suffit! Peu importe comment tu es entré, Lupin, mais tu vas vite ressortir. Aucune envie de te parler.

— Ah, on passe au tutoiement réciproque, c'est mieux, j'avais l'impression d'avoir cent ans. Je me sens jeune moi aussi avec toi, mon fiston!

— Dis ce que tu veux. Pars ensuite.

— Je veux que tu me fasses du café puisque je t'ai apporté ces sucreries de Barcelone et les meilleurs croissants de Paris, tu sais, ceux des Délices de Sèvres.»

Ce fut Paul-Isidore qui éclata de rire, et Lupin ensuite. La cafetière était une Krupp, et ce fut l'occasion de dire qu'elle marchait aussi bien que les canons du Kaiser dans l'aventure d'autrefois qui s'appelait *L'Éclat d'obus*.

Lupin parla d'abord :

« Bon, je ne suis pas ton professeur, ton père Fouettard, comment l'appelles-tu déjà ton directeur de thèse, le grand biochimiste ?

— Le père Foucart. Il attend mes résultats pour dans six mois.

— Tu n'as pas honte ! Tu continues à lui faire croire que tu cherches. Mais tu ne chercherais pas si tu n'avais déjà trouvé ! C'est ta tapisserie de Pénélope ton affaire, ça ne trompe pas le père Lupin : avoue que tu détruis chaque soir les notes que tu prends pendant la journée pour que ça dure jusqu'à la fin de ta bourse... Tu veux que je te la raconte, moi, en trois minutes, ta thèse ? Tu as compris qu'une cellule pouvait devenir une cellule neuronale, soumise à certaines conditions de chauffage et de pression. Que le résultat, dans certains cas, permettait de régénérer les cellules du corps humain à l'identique. Pendant que tout le monde perdait son temps à étudier la caféine et ses vertus étranges lors du clonage thérapeutique – tu sens comme ça embaume, c'est la Krupp –, toi tu as compris qu'à partir du miel, matière composite, on obtenait très vite des résultats stupéfiants. C'est avec cette idée géniale que tu as gagné la compétition de Strasbourg, restait à vérifier expérimentalement. Tu as tout trouvé, depuis longtemps. La réalisation dans le laboratoire pharmaceutique possédé par ta Balsamo, ta prétendue comtesse, a demandé à peine un jour d'expérience. Maintenant tu joues à celui qui n'a pas encore complètement réussi pour gagner du temps et faire monter les enchères. Ta découverte va te rendre très riche. On pourra réparer les cellules du corps humain. Tu vas détenir l'élixir de longue vie… Tu prends donc toutes tes précautions, tu as persuadé ton directeur qu'il te fallait encore six mois. Qu'ils sont naïfs ces grands savants ! Mais le plus niais ça sera toi, tu vas voir, c'est la Cagliostro qui va toucher le jackpot, tu es pieds et poings liés avec son laboratoire, elle a tout payé, elle va te presser le citron et elle jettera l'écorce, comme elle a toujours fait avec les hommes, comme Frédéric II avec Voltaire, sauf si je veille un peu à tes affaires.

— Je t'interdis, Lupin.

— J'aime que tu me dises *tu*, enfin, d'homme à homme. Maintenant tu vas me parler de ce que tu fabriques vraiment dans ta planque. Car des recherches tu en fais, tu n'as jamais arrêté. Simplement tu travailles sur autre chose, je le sais, je suis venu voir un peu tout ça, chez toi, en ton absence. Tu passes beaucoup de temps à regarder des séries, à pirater mes messages pour envoyer tes scénarios à la BBC, mais ça n'est pas forcément mauvais pour ton cerveau… Je sais que l'essentiel n'est pas dans ton ordinateur, l'important tu ne l'as pas écrit, mais tu vas devoir m'en parler… »

Isidore, toujours vêtu de son pyjama de coton bleu – qu'il avait acheté chez Monoprix –, était décidé à ne rien lâcher, et à reprendre la main. Il savait bien pourquoi Lupin était venu le voir. Il avait compris, enfin. Le garçon se moqua de lui :

« Tu me fais pitié, Arsène, tu en as mis du temps à venir. Je ne savais pas que tu perçais les murs et que le grand seigneur méchant homme que tu es avait ses habitudes dans ma chambrette, mais je peux te dire que ça fait au moins quinze jours que je t'attendais. Tu as enfin compris que c'était moi qui interceptais tes mails, et qui envoyais à ta place les scénarios de *La Mort qui rôde*. C'est pas mauvais, hein ?

— C'est même excellent.

— Il faut l'accepter, tu n'es plus bon à rien, tu n'es plus capable d'inventer, de te renouveler… Tu es une délicieuse vieille chose du XXe siècle. Tu ne voudrais quand même pas que je te dise qui va être tué et pourquoi ? Tu es un petit retraité qui regarde des feuilletons à la télévision. Où est-il le grand Arsène, le monocle qui vole, le coureur de fond, l'alpiniste qui escaladait Big Ben ? Il est là où on trouve les monocles et les capes de magiciens, au marché aux puces ! Tu voudrais que je t'explique comment le mari de Wallis va réapparaître dans l'épisode de la semaine prochaine… Tu en es là. C'est pour ça que tu as fini par venir, ici, à Canossa. C'est pathétique. Attention, plus que trois semaines avant le meurtre… Les paris commencent déjà sur le Web, les gens vont bientôt envoyer leurs questionnaires de jeu dûment remplis à la chaîne. C'est qu'il y a gros à gagner cette fois, la cagnotte a doublé depuis la dernière fois, on a deux fois plus de fans, grâce à toi soit dit en passant, enfin grâce à don Luis Perenna…

— Tu vas être gentil dans un instant, Isidore. Ce n'est pas cool du tout de se moquer ainsi de son vieil Arsène à qui on doit tout. Que tu es enfant…

— Le pire n'est pas là… S'intéresser à une série télévisée, alors que je suis en train de mettre au point une invention extraordinaire… Tu as bien deviné : je ne m'occupe plus ni du miel ni des cellules. Et tu voudrais en plus que je t'en parle, tu ne manques pas d'air. Tu crois que tout t'est dû, que tu vas tout résoudre d'un coup. Tu es visiblement passé en phase maniaque, après ces semaines de phase dépressive, rien que de très normal, ne t'inquiète pas, la chimie moderne est là pour t'aider. Quand on est gentleman-cambrioleur, c'est assez logique au fond d'être aussi maniaco-dépressif. Ça t'arrivait déjà quand tu vivais en 1900, même si on n'avait pas encore inventé le concept, pauvre vieux…

— Isidore, tu sais, parfois on franchit une ligne, sans s'en rendre compte. Là tu viens de passer les bornes. Tu vas devoir m'écouter. Je te laisse le temps de mettre une chemise, un caleçon, un jean et des mocassins, tu vas me suivre, tu vas voir, file faire un minimum d'ablutions, laisse la porte ouverte pour m'écouter, on a peu de temps… »

Beautrelet haussa les épaules. En effet, il était l'heure de commencer cette journée. Lupin, d'une voix grave et retenue, tandis que le garçon, dans la salle de bains, se passait le visage à l'eau et se changeait, lui expliqua quelques vérités simples.

D'abord, Paul Beautrelet, arrivant à Paris à vingt ans et ne doutant de rien, ne s'était pas étonné de trouver tout de suite un élégant petit studio pas trop cher, dans la première agence dont un ami de sa mère avait donné le numéro. Pauvre naïf : c'est l'agence

Lupin qui lui avait dégotté le studio de Cartouche ! Depuis des mois, Lupin allait et venait comme il l'entendait chez son protégé parce qu'il possédait tout le pâté de maisons. Paul était un de ses locataires. Devant sa glace il pâlissait, s'efforçant de ne rien montrer : il recevait en effet les enveloppes de loyer de l'Agence Lalumière, avec ces enveloppes frappées d'un grand logo AL auquel il n'avait jamais prêté attention…

« Tu le connais toi-même, le secret pour traverser le mur de ta chambre, et tu ne l'utilises pas, regarde les trois lettres qui sont sculptées en léger relief sur le linteau, les initiales de mon prédécesseur : Louis Dominique Cartouche. Maintenant, fredonne en te lavant les dents, si tu veux bien, la petite chanson que tu avais sur les lèvres, m'a dit Jacques, dans la voiture, pendant que vous rouliez vers la Suisse. Tu veux que je chante aussi ? "Enfin Cartouche est pris / Avecque sa maîtresse / Mais il s'en est enfui / Par un tour de souplesse / L'aile vola légère / Comme roule le dé / Il aurait traversé une porte de fer / Les murailles pour lui se sont tout effacées…" C'est joli, non, cette mélodie du Grand Siècle, on dirait du François Couperin le Grand, ça se retient tout seul… »

Et d'une main Lupin saisit le L, lui imprima un petit mouvement comme pour le faire voler, puis le D qui roula comme un dé entre ses doigts, et à cet instant, comme il tenait les deux lettres entre ses mains, le C s'enfonça dans la pierre, effacé… Sans un crissement, le grand miroir biseauté dont la demoiselle aux yeux verts s'était moquée, à des kilomètres de là, au Velours, la boîte branchée de Tokyo, glissa le long de la paroi, dissimulant une ouverture, le début d'un escalier qui descendait.

Beautrelet cette fois était stupéfait. Son appartement, son refuge, était ouvert, avec un mur béant en face de son lit, et Lupin lui montrait une porte qui devait exister depuis l'époque où les gendarmes du roi voulaient coincer le brigand au grand cœur. Lupin rit à nouveau...

Non, cette issue ne datait pas du XVIIe siècle, il l'avait fait aménager quand il avait décidé, par amour des monuments historiques et des belles choses, de s'associer à la rénovation du «secteur sauvegardé du Marais». Sous les traits d'un promoteur immobilier il avait fait d'immenses profits en rachetant pour rien des immeubles croulants entre cette rue et la place des Vosges et en les restaurant conformément à leur style d'origine...

«Cette histoire me dit quelque chose...

— Oui, tu l'as lue dans un des livres de mon biographe d'autrefois, ce cher vieux Leblanc. J'avais déjà fait le coup vers 1910, en lotissant des immeubles en grand style post-haussmannien, et en les truffant de doubles portes, de passages secrets, d'armoires qui permettent de s'échapper par la cour de la villa voisine, ça m'avait été bien utile. Et tu n'imagines pas le nombre de services que mes gruyères ont pu rendre à la Résistance, j'avais donné tous mes plans au secrétaire de Jean Moulin, un chic type, tu sais, Cordier. J'ai recommencé l'exploit ici, sous Malraux ministre, en sauvant au passage le plus beau quartier de Paris. Entre ta rue du Pont-aux-Choux et le socle creux de la statue de Louis XIII qui est devant la maison de Victor Hugo, c'est un dédale qui me permet d'aller et venir, d'escamoter, d'entrer, de sortir, de venir te rendre visite au saut du lit. Tu es enfin prêt, ça te va pas mal une barbe de trois jours, allez viens, suis-moi, je vais te montrer mon laboratoire, puisque tu refuses de me parler de tes véritables recherches. Tu vas voir que j'ai peut-être pris un peu d'avance, et que ce n'est pas uniquement la mort qui rôde autour de nous... »

La curiosité fut la plus forte. Beautrelet, d'un regard, fit comprendre à Lupin qu'il acceptait de le suivre.

Les deux hommes s'engagèrent, parlant toujours, dans un escalier tout neuf, qui remplissait l'épaisseur qui sépare la maison de Cartouche de sa voisine. Peu après, ils arrivèrent à un palier, Lupin manœuvra une autre porte, et cette fois le passage, éclairé de loupiotes, avait l'air d'un chemin de ronde...

« C'est la partie XVIIIe du parcours, construit pendant la Révolution, on va arriver à une maison qui se trouve juste sur le passage que suivit la charrette qui emmena la reine Marie-Antoinette à l'échafaud, place de la Révolution. Elle venait du Temple, la prison, là où est aujourd'hui la mairie du IVe. C'est le chevalier de Maison-Rouge qui avait fait faire ces travaux. Il s'agissait d'enlever la reine. On avait commencé, des mois avant son procès, à tout aménager, l'issue funeste n'était que trop certaine. Le matin tragique, les gardes nationaux ont trouvé le passage secret, on a arrêté Maison-Rouge. Tu sais qui l'avait vendu ? Joseph Balsamo, ci-devant comte de Cagliostro, qui avait déjà eu la peau du pauvre cardinal de Rohan-Strasbourg, et qui avait juré la mort de la monarchie... Il avait une fille dont on disait qu'elle était plus vieille que son âge apparent, elle était belle, mais... Tu m'écoutes, Beautrelet, penche la tête, tu vas te cogner, encore deux escaliers et on va arriver chez moi...»

*

Lupin était assez fier de sa vieille baraque de la place des Vosges. Il y avait amassé ses trésors, de la cave aux greniers, des bijoux dignes du musée de l'Or de Bogota, des tapisseries des Flandres, de l'art africain, des expressionnistes allemands et des surréalistes belges, un Philippe de Champaigne qui aurait eu sa place au Louvre, un Fragonard, un bureau estampillé BVRB où reposait, sur un lutrin néogothique, le dessin de la première couverture du premier album de Tadamishi... On se serait cru chez un grand commissaire-priseur. Lupin fit traverser la demeure au jeune homme au pas de gymnastique. Il avait voulu tout cela, puis il en avait eu assez et était allé s'installer dans la bulle vide construite pour lui par Gehry, à l'autre extrémité de la ville.

«Tu aimes mes accumulations, je mélange toutes les époques...

— Vous avez fait appel à un décorateur ? C'est amusant votre ascenseur tout en verre...

— Ah, tu repasses au *vous*... Intimidé ? Non, pas besoin de décorateur, tu sais, je prétends que quand on met les uns à côté des autres des objets et des œuvres d'art qui valent chacun plus de cent mille euros, ils s'accordent toujours assez bien entre eux, à cinq cent mille c'est encore mieux. Je fais comme ça de grandes économies d'architecte d'intérieur, j'assemble les choses selon leur prix, c'est plutôt joli quand on ne le sait pas, non ? Mais je ne t'ai pas emmené ici pour te montrer mes brocantes, j'ai fait un testament pour le Louvre, Orsay, le Quai Branly et aussi le Centre Pompidou pour la malle de carnets de Duchamp que tu vois là, sur la console de Boulle... On va sous le toit, c'est mon laboratoire. C'est là que je travaille à mon opération "Bouchon de cristal". Tu devines de quoi il s'agit ? Tu es de plus en plus pâle... Tu te souviens de la couverture du *Bouchon de cristal* ? »

*

Beautrelet comprit tout en entendant « Bouchon de cristal ». Il travaillait en secret à la mise au point d'une sorte d'œil artificiel. Il n'avait rien écrit nulle part à ce sujet. Il avait tout en tête. Et dans sa tête, il avait donné à ce projet un nom de code pris dans les aventures d'Arsène Lupin, celle où le secret est caché dans un œil de verre : *Le Bouchon de cristal*.

Depuis quelques années déjà, tous les chercheurs étaient braqués sur une idée simple, sans arriver à une découverte satisfaisante et commercialisable :

rendre l'accès au réseau virtuel directement ouvert, sans passer par les ordinateurs, les tablettes, les smartphones… On était arrivé déjà à une parfaite miniaturisation des données dans les branches des lunettes. On arriverait bientôt à une commande directe depuis le cerveau. On y était presque. L'objectif était de pouvoir accéder sans effort à l'ensemble des connaissances humaines qui se trouvent en ligne. Lire une phrase par exemple et, sans avoir à la taper ou à la prononcer à haute voix, savoir immédiatement de quel livre elle provient. Voir un tableau et rentrer l'image dans le dispositif qui fournirait au cerveau immédiatement le nom de l'artiste, la localisation de l'œuvre, son titre, sa date, des œuvres comparables… Qu'Internet ne soit plus sur un écran, ni même dans les objets, mais au plus près de l'intelligence humaine, dans le corps, dans la tête de chacun… Il était clair que l'évolution allait dans ce sens et qu'on y arriverait plus vite que prévu. Beautrelet pensait que cette béquille intégrée, donnant à son possesseur toute la mémoire du monde, et l'accès au plus vaste univers d'informations qu'aucun homme ait jamais eu le temps ou le pouvoir de posséder, loin de rendre les individus bêtes et incultes, libérerait le cerveau des tâches subalternes et permettrait à celui-ci, en deux ou trois générations, de se développer dans d'autres directions. Comme un ordinateur qu'on doterait d'un disque de mémoire externe, et dans lequel du coup on libérerait des espaces vierges. Soulagé de la mémoire, le cerveau humain irait du côté de l'intuition, de la télépathie, de la sensibilité, l'homme dépasserait l'homme… Pour transmettre les informations, il y avait une porte évidente : l'œil. Le grand Stephen Hawking donnait l'exemple de manière géniale en écrivant des livres malgré sa paralysie simplement grâce à un code, avec le battement des paupières. En miniaturisant dans un œil de cristal l'ensemble de la technologie, en insérant à l'intérieur de l'œil une sorte de lentille de contact, Beautrelet pensait être capable d'y arriver. Il avait utilisé pour cela des connaissances excédant de beaucoup celles du chercheur qu'il était à l'origine, et cette fois il sentait qu'il allait pouvoir réussir…

En entrant dans le laboratoire, Paul-Isidore comprit son malheur. L'œil artificiel directement connecté à Internet, la première prothèse de cerveau humain, qu'il croyait avoir inventée, était dessinée sur le mur.

La jeune Sabine, l'architecte de la bande, ravie de voir débouler le patron qui n'était pas venu depuis des jours et des jours, était en train de reporter sur un écran des dessins d'une hallucinante précision : en voyant les schémas, Beautrelet dut s'avouer que Lupin avait trouvé avant lui.

Comme s'il avait cambriolé la part non écrite de ses recherches, ce dont il n'avait encore parlé à personne, comme si c'était cette fois l'intimité même de sa cavité crânienne qui avait été violée, comme si dans sa tête on avait creusé des passages secrets et vrillé des escaliers dérobés. À côté de Sabine se trouvait une des imprimantes 3D les plus performantes de la nouvelle génération, celle qui pouvait permettre à des terroristes de fabriquer des armes à partir de plans.

Le nom de code s'affichait sur l'immense écran de travail : « Bouchon de cristal ».

Lupin lui demanda :

« Alors, c'est pour payer ce genre de travaux, développer ton invention, ou pour te moquer de moi que tu écris ce scénario à ma place ? Tu as vraiment besoin qu'on finance les aspects techniques de ton affaire, d'où l'idée d'empocher la prime, en faisant au passage enrager le vieux lion Lupin ? Elle est un peu radine, finalement, ta Cagliostro ? Ou elle n'a pas tout à fait confiance en toi ? Moi je suis clair avec toi, et généreux : je ne suis pas encore arrivé à bon port. Il manque sans doute des éléments que mes techniciens n'ont pas. Je les laisse travailler sous la férule de Sabine. Elle est surdouée. Pendant ce temps, je reste chez moi à regarder le plafond. Viens. Dis oui. C'est part à deux.

— Lupin, c'est non. »

À cet instant, Lupin retrouva toute l'énergie de ses vingt ans. Pour qui se prenait ce freluquet ? Il avait oublié un élément tellement évident dans cette affaire : le palace La Grotte des Demoiselles lui appartenait, et il était truffé de caméras. Il suffit de faire fuiter les images des huit scénaristes incompétents et ramollis pour que l'imposture soit révélée et que Beautrelet ne touche rien…

« Évident, non ? Tu vois qu'il restait des munitions au sieur Cartouche… Je peux informer la chaîne en deux secondes du fait que tu es l'auteur... Ils ne te donneront pas la prime. Ils te feront juste une proposition d'embauche, que tu refuseras. Ce que tu veux c'est exploiter tes découvertes, pas devenir l'Hector Malot ou le Paul Féval des séries cultes. J'accepte de me taire dans cette affaire de *La Mort qui rôde*, mais à une condition : nous toucherons ensemble tous les droits du brevet du "Bouchon de cristal". Tu t'es fait doubler, mon Beautrelet, tu perds sur les deux tableaux. Je te propose donc de récupérer ta mise en empochant la prime de la BBC, j'accepte de la boucler, et de partager avec toi le "Bouchon de cristal". Dis merci. Merci, Arsène.»

*

Beautrelet dut s'asseoir – sur une bergère estampillée Jacob entre une tête Nok et une esquisse de David. Il resta toute la journée à regarder les travaux que l'équipe de choc regroupée par Lupin avait su conduire. Il avait peine à y croire. Tout désormais faisait tableau.

Lupin s'installa devant le grand écran au centre de la pièce. Il afficha une première image verdâtre : Monna Lisa. Celle du Louvre. Puis une autre : la vraie, qu'il avait restituée au musée il y a peu. Plus belle, sans conteste.

«Regarde mieux. J'affiche les deux côte à côte. Les deux viennent de l'atelier de Léonard, la première est entièrement de sa main, la seconde a été faite sous son contrôle et peut-être terminée par lui, le meilleur œil que l'humanité ait jamais produit. Tu vois les petites différences de cadrage, de lumière. Mets ces lunettes maintenant. Elles ont été réalisées en bois de peuplier d'après le dessin qui figure sur le *Codex Borbonensis*, tu sais, la page qui a été vendue chez Sotheby's pendant mon séjour au Japon, c'était moi l'acquéreur au téléphone. Regarde.

— Elle est en relief ! Comme si je pouvais la toucher ! Comme une vraie femme ! La première image stéréoscopique en 3D de l'histoire du monde. Avec une précision absolue. Impossible, inimaginable au xvie siècle…

— Si, pourtant. La *Joconde* c'est l'invention de la vision en relief, réglée au micron près. C'était un des problèmes que j'avais à résoudre. Mon œil de cristal louchait un peu. Je devais le régler avec une précision absolue. Le modèle insurpassable, pour moi, c'était celui que Vinci avait créé ; il fallait donc que pendant deux heures je puisse, sans aucune surveillance, disposer des deux panneaux de bois, et mesurer avec des instruments optiques du xxie siècle cet absolu de perfection. Léonard de Vinci est devenu ce jour-là l'assistant d'Arsène Lupin. Il m'a aidé à régler parfaitement l'œil de cristal, avec une fiabilité qu'aucun ingénieur d'aujourd'hui ne pourrait avoir. Ensuite, j'ai joué au grand seigneur, j'ai offert la vraie *Joconde* à la France. Je n'en avais plus besoin, et elle n'est plus mon genre de beauté, je m'en étais lassé, à force. Mon ami de l'Automobile Club, Sa Grâce l'émir de Barjah – qu'Elle soit louée dans les siècles –, en rit encore, il était aux anges… Son exposition a battu tous les records mondiaux, et son musée tout neuf a été le plus visité du monde pendant des mois... »

Lupin afficha alors une page d'accueil de Facebook.

« Regarde maintenant. J'ai tous les instruments pour mesurer un visage. Prenons celui-ci. Tu reconnais ce vieux Sholmès. Pourtant, il n'est pas sur Facebook. J'ai possédé Facebook pendant vingt-quatre heures, ensuite je l'ai rendu au monde. J'ai évidemment gardé des archives. J'avais besoin que le réseau continue de fonctionner. Tout le monde a cru à une bonne blague. Regarde, avec la précision au micron près de mon appareil de mesure microscopique, au centre de l'œil de cristal, je fais apparaître une image : voici Sholmès, photographié à l'anniversaire de sa nièce, à son insu. Je peux savoir qui il est. Imagine quand l'œil sera implanté. Je pourrai, tu pourras, tout le monde pourra un jour savoir qui est la personne qui est en face de nous dans le métro ou en réunion, ce qu'elle aime, ce qu'elle fait, quels amis communs on a peut-être avec elle, quelle famille elle doit supporter...

— Génial !

— Ce que tu peux être vulgaire parfois. Tu n'as plus douze ans. Ce matin, je veux faire avec toi un dernier réglage, je veux que les images mentales que mon œil artificiel va introduire dans le cerveau humain soient parfaites pour ce qui concerne les couleurs. Il faut étalonner le Pantone, à partir des vraies fréquences colorées que capte l'intelligence humaine. Et je me suis permis d'apporter le plus parfait des prismes. Sabine, vous voulez bien ouvrir la fenêtre, il y a une jolie lumière aujourd'hui sur la place des Vosges.»

Il avait dans sa poche le diamant des princes, des rois et des empereurs.

*

Le Régent retrouva quelques jours plus tard sa place dans sa vitrine. Lupin n'en avait plus besoin. Il n'avait fait que l'emprunter. Il aimait que les trésors du Louvre servent ainsi à construire l'instrument du futur qui allait révolutionner la vie de tous les hommes.

Beautrelet rentra chez lui, troublé comme il ne l'avait jamais été. Il savait que cet homme, qui aurait pu avoir l'air d'un fou, d'un imposteur, d'un mégalomane, avait raison point par point. Et cela lui faisait peur.

Lupin regagna sa caverne, système optique gigantesque d'où il observait Paris, satisfait comme un confesseur du Moyen Âge venant d'arracher une âme au démon. Il avait libéré le corps du petit Beautrelet des griffes de la diabolique Joséphine Balsamo. Le jeune homme désormais lui serait tout acquis.

Paul, cessant d'être «Isidore», se mettait, à la même minute, à sa table de travail – après avoir calé son fauteuil Voltaire contre le bord du grand miroir, pour éviter de le voir s'ouvrir… Il écrivit d'une traite, presque sous hypnose, comme si son intelligence avait été dopée, la fin du scénario de *La Mort qui rôde*. Le tournage en était à l'épisode 6. On diffusait le 4 la semaine prochaine – le temps entre la diffusion et la réalisation était réduit au minimum, pour pouvoir tenir compte des réactions des internautes et satisfaire le public, mais cette fois Beautrelet n'en ferait qu'à sa tête : il savait exactement quelle fin il voulait, et il savait que ça surprendrait et que ça plairait.

On lui réclamait l'épisode 8, avec le meurtre. Il était prêt. En revenant à pied de la place des Vosges il avait tout trouvé. Le public attendait bien sûr que le vrai mari de Wallis tue lui-même, ou fasse tuer par les terroristes, l'imposteur qui avait pris sa place dans le lit de sa femme. La solution de Beautrelet était évidente : le faux mari n'avait jamais été faux, c'était le vrai, qui avait choisi cette parfaite couverture pour échapper aux assassins. Mais comme il était amoureux de sa femme – perversion comme une autre – il l'étranglait, à l'ancienne, comme Othello étouffa Desdémone, par jalousie. Wallis mourait d'avoir accepté de tomber dans les bras de celui qu'elle pensait être une doublure.

Paul envoya le tout, bien décidé à ne plus entendre parler de cette histoire. Il expédia aussi, ensuite, la bonne réponse. Il avait évidemment peur d'être doublé par ce renard de Lupin, qui était capable de deviner tout cela…

Il vit en un instant deux images se brouiller dans son cerveau : Mayako, la demoiselle aux yeux verts ; Joséphine, la comtesse aux pieds nus, deux sourires, stéréoscopiques – il les avait perdues sans doute à jamais, l'une et l'autre… Et comme c'était un garçon qui avait beaucoup de cœur, il sentit gentiment que les larmes risquaient de lui monter aux yeux. Il se reprit, se moucha, et partit boire un verre avec d'autres amis d'université, qui eussent été bien étonnés et incrédules s'il leur avait raconté ce qu'était devenue sa vie.

Le gagnant fut inattendu. Il battit Beautrelet, car il avait posté sa réponse dès la fin de l'épisode 2. Il empocha la mise mais ne voulut pas paraître à la télévision : il s'agissait d'un important fonctionnaire du ministère de l'Intérieur.

L'inspecteur Ganimarion avait compris que Luis Perenna était Lupin : la barbiche, les sourcils, l'accent un rien exagéré, on ne la lui faisait plus. Il attendait de le voir gagner à nouveau, et il avait ses hommes à Barcelone pour procéder à l'arrestation. Mais comme il avait le goût du jeu, il s'était amusé à envoyer lui aussi une réponse au concours, pour voir. Enfer et damnation, il avait été le plus rapide, c'était lui qui avait gagné. L'inspecteur Ganimarion ne sut jamais que ce jour-là il avait non seulement fait taire cet agaçant petit Beautrelet, qu'il ne supportait pas, mais impressionné et vaincu son adversaire de toujours, qu'il désespérait de coincer, Lupin – ce gentleman qui en lui laissant gagner une fortune venait, une fois de plus, de lui échapper.

Chapitre 7

L'Aiguille creuse

Arsène Lupin était amoureux. La Borostyrie
venait de proclamer son indépendance, et cette nouvelle république s'était donné une présidente, Olga
Sarek. Dans un environnement politique tendu, elle
était libérale, ouverte aux idées sociales, fustigeant à
chaque discours ces groupuscules néonazis qui, dans
les pays voisins, s'érigeaient en partis politiques de
plus en plus violents. Elle était devenue, dans cette
région perturbée de l'Europe centrale, le rempart de
la démocratie. Elle était, aussi, surtout, incontestable-
ment, très jolie.

*

Lupin avait couru voir ce petit État tout neuf. Dès
qu'un pays accédait à la liberté, il fallait qu'il y aille.
Cette fois, son voyage avait pris un caractère presque
officiel. Il s'était arrangé, sous une habile couverture,
pour se faire inviter par la cheftaine de l'État à séjour-
ner dans sa capitale de Bruck-Mürzzuschlag, une

petite ville d'art et d'histoire florissante attelée par la magie d'un trait d'union à une cité industrielle ruinée.

La minuscule métropole, dont l'urbanisme échappait à toutes les lois du genre tant il était confus, n'avait pas été construite pour prendre la tête d'un pays. Peu importe, ce désordre urbain, où la citadelle restaurée à neuf était à cinq minutes de l'usine en ruine, avait selon lui beaucoup de charme. Ce métissage lui plaisait. On n'avait pas eu les moyens de construire un parlement, un tribunal, une cathédrale, une mosquée, un monastère orthodoxe, mais tout était en projet. Bruck-Mürzzuschlag donnait une parlante image des deux têtes de ce pays, antique et moderne, nouvel aigle pacifique. L'aéroport borostyrien était encore, l'année précédente, un aéro-club, mais les hôtesses, qui avaient reçu, sous la forme d'un don providentiel d'Emmaüs International, un lot tout neuf d'uniformes Air France des années 1960, griffés Georgette de Trèze, affichant un sourire déjà très international, distribuaient des brochures touristiques.

Arsène s'était dit qu'il profiterait de son séjour pour visiter cette curiosité naturelle célèbre dans le monde entier qui porte le nom mélodieux de Schwarzmooskogelhoehlensystem-Kaninchenhohle.

Schwarzmooskogelhoehlensystem-Kaninchenhohle est une grotte, une des plus belles d'Europe, passionnante, qui passait à la Renaissance pour une des entrées du centre de la terre.

Les hommes des cavernes ne la connaissaient pas, sinon elle fût devenue une « Sixtine de la préhistoire » de plus, avec des bisons et des aurochs en cinémascope et technicolor DeLuxe. Il aurait fallu en interdire l'accès et se lancer dans la coûteuse réalisation d'un Schwarzmooskogelhoehlensystem-Kaninchenhohle II, qui très vite n'aurait pas suffi, et on aurait achevé de ruiner les finances avec un indispensable Schwarzmooskogelhoehlensystem-Kaninchenhohle virtuel en 3D accessible depuis le site du ministère de la Culture et par la dispendieuse création d'une Schwarzmooskogelhoehlensystem-Kaninchenhohle mobile qu'il aurait fallu ensuite promener d'ambassade en ambassade. Grâce au ciel, ce ministère chargé des gouffres culturels n'avait pas été créé, pas encore. Le pays qui n'avait qu'un an d'existence pouvait s'épargner ce soin, et la grotte était une de ses sources principales de revenus, grâce au tourisme et à quelques bonnes photos de concrétions naturelles et de boyaux électrifiés placées à quelques endroits judicieux sur Internet. Dans cette mythique cavité, on circulait en chemin de fer à pédales, sur soixante kilomètres de galeries et de hautes salles karstifiées à mort, dans des wagonnets qui dataient de la visite de Sissi et de François-Joseph : l'atmosphère se prêtait à la romance à la lueur des torches au néon.

Lupin, qui avait déjà eu comme maîtresse plusieurs reines, une impératrice en exil et qui avait épousé des princesses, n'avait encore jamais été emballé par une présidente de la République. À vrai dire, c'est parce qu'il n'en connaissait pas. Comme cette catégorie féminine tardait à apparaître en

France, il avait été intrigué par la photographie officielle d'Olga Sarek, avec ses deux tresses blondes enroulées sur les oreilles, vraie beauté d'Europe centrale, aux yeux très bleus et à l'allure de jeune adhérente d'un club de voile de Biarritz. Fraîche et franche, elle avait su déjà séduire 56 % des votants qui l'avaient portée sur le pavois. Il avait dû se dire : « Et pourquoi pas ? » Il s'était présenté comme Horace Velmont, spéléologue et anthropologue, envoyé par le CNRS au nom de la République française. On l'avait aussitôt reçu au palais, construit en grand style Sarcelles 1970, et une séduction réciproque était née dès la première conversation.

La Borostyrie n'avait pas encore beaucoup de ministres dans son petit gouvernement. La présidente n'avait pas encore de premier homme. Lupin, séduit par la femme et par l'amusement de ce nouveau métier, se jura de l'épouser dans les six mois. Il fit sa cour, explora et photographia toutes les variétés géologiques du pays, découvrit une source thermale dans le massif du Dachstein, étonna tout le monde au ski. Au cours de ses repérages dans les villages de province, il tomba sur une stèle romaine qui commémorait le campement de plusieurs légions perdues dans ce petit coin de Pannonie à l'époque de Marc Aurèle – menées par un légat qui se nommait Horace, comme lui, c'était un signe. Il procéda à une grande collecte en milieu rural de poteries, vases en terre cuite, bols à déjeuner et pots à crayons, première esquisse d'un futur vaste musée d'Arts et Traditions populaires, que le pays n'avait pas réussi à avoir dans les années d'après-guerre et que la population – Horace Velmont l'avait bien senti lors de ses tournées – réclamait sourdement. Il hésitait : valait-il mieux devenir ministre de la Culture et du Patrimoine en Borostyrie ou l'époux de la présidente ? Pouvait-il cumuler ? Sa collection de potiches l'inspira, il s'y reconnut : il tomba amoureux de la sympathique Olga alors qu'il ne s'y attendait pas.

Pour lui qui n'avait jamais inauguré les chrysanthèmes, ce fut une seconde jeunesse. Il ressuscitait – à nouveau.

*

En tombant dans *Paris Match* sur le reportage consacré au mariage très discret de la présidente Olga Marek de Borostyrie avec un vague ethnologue français nommé Horace Velmont, le jeune Beautrelet comprit qu'il s'agissait de Lupin : le gentleman-cambrioleur ne lui avait-il pas rappelé lui-même, à plaisir, la litanie de ses pseudonymes ?

Beautrelet, pendant des semaines, dans son studio, la fenêtre ouverte avec un grand rayon de lune passant sur ses tomettes, avait cherché une aiguille dans la nuit. On lui avait volé son cambrioleur.

Lupin avait déménagé du jour au lendemain son laboratoire de la place des Vosges. Personne non plus ne l'avait vu aux abords du Jardin d'Acclimatation, où il avait été parfois signalé, selon une source proche de la préfecture, entre le Rocher aux daims et la Fondation Louis-Vuitton. Arsène sentait que les importants travaux de recherches menés là, dans ce vénérable grenier du temps de Louis XIII, étaient en danger, et la dernière conversation qu'il avait eue avec le jeune homme avait culminé avec ce bref échange, sous les poutres du xviie siècle de la grande maison de brique et de pierre :

« Ta Cagliostro m'embête, tu sais. Elle va nous empêcher de réussir. Avais-tu besoin d'avoir une liaison avec ce démon ?

— Je n'étais pas le premier... On ne critique que les faiblesses qu'on connaît bien soi-même...

— Insolent. Je m'installe ailleurs. C'est trop exposé, ici. Tu viendras me rejoindre quand je te ferai signe. Je déclenche le plan d'évacuation, l'opération "Aiguille creuse". »

Depuis deux mois, plus de nouvelles. La Cagliostro avait, elle aussi, disparu. Beautrelet n'avait guère envie de la revoir, et elle, ayant tout obtenu du jeune homme, n'avait, semble-t-il, pas envie de le poursuivre. Il était donc seul, à nouveau, ce qui ne lui déplaisait pas, et réfléchissait.

Il avait vite éliminé une dizaine de fausses pistes, d'Arolla en Suisse au pic du Midi, de l'Agulha do Diabo au Brésil au château d'eau de Montmartre, un des plus curieux monuments de Paris, planque idéale, Aiguille creuse cachée à l'ombre du Sacré-Cœur, que ni les touristes ni les Parisiens ne connaissent. Il avait pensé aussi aux gratte-ciel de Dubaï qui sont des aiguilles, à la fusée Ariane sur la base de Kourou. Quel est l'équivalent actuel de l'Aiguille creuse d'Étretat? En tapant «Aiguille creuse», passé trente écrans à la gloire de Lupin, on trouvait tout et surtout n'importe quoi: depuis des pages de fans d'escalade jusqu'au congrès international des chirurgiens et prothésistes dentaires, on tombait sur des boutiques de tatouage et de piercing dans le vieux Mans et sur les volets bleus de la crêperie d'Étretat.

L'idée simple selon laquelle Lupin serait resté à Étretat avait été naturellement la première qui lui était venue: un retour à l'Aiguille. Mais combien de fois, en vacances dans la maison familiale, sur les falaises, Paul avait-il regardé en vain la mer, la grotte des Demoiselles, le fort de Fréfossé, sans que jamais rien d'anormal s'y produise? Il avait loué des barques, avec ses cousins, pour faire par tous les temps le tour de l'Aiguille, scrutant avec des jumelles chaque anfractuosité. Il n'y avait plus rien, plus de porte, plus de meurtrières cachées dans les reliefs du calcaire, rien à marée haute, rien à marée basse, comme si Maurice Leblanc avait inventé de toutes pièces cette histoire…

L'article de *Paris Match* avait été un trait de lumière. Wikipedia révélait que la Borostyrie possède le plus grand gouffre d'Europe, au nom un peu difficile à retenir. L'Aiguille d'Étretat était creuse: cette fois ce serait l'inverse, la même astuce en négatif, c'était bien du Lupin. Le creux serait plein, Arsène s'était installé avec ses ordinateurs et ses instruments de haute précision dans cette cache naturelle, à proximité de la riante ville de Bruck-Mürzzuschlag.

Le soir même Beautrelet avait trouvé – malgré les lacunes de booking.com et de bonvoyage.fr qui ignoraient cette destination peu rémunératrice – un vol avec deux changements, pour l'aéroport international Frédéric-Barberousse, dont il n'avait jamais entendu parler.

*

Allongé sur le canapé à fleurs de son appartement de Baker Street, son violon abandonné à côté d'un vieux carton de pizza éventré, Herlock Sholmès se réveille tard. Il a juré que sa vengeance, après la ridicule équipée de Strasbourg, serait sanglante. Il s'est laissé gagner, depuis quelques semaines, par un sentiment nouveau pour lui mais contre lequel il ne peut rien : la haine. Haine de Lupin, haine des Français, peuple d'imbéciles – alors que jusqu'à présent il avait été plutôt fier de descendre par sa mère de la lignée des Vernet, illustres peintres, et de posséder ce vieux violon d'étude offert par M. Ingres en personne à son quadrisaïeul. Le temps des musées était fini. À l'heure des nouvelles images et de leur reproduction numérique, plus personne ne se souciait plus de Vernet ni d'Ingres : c'était le règne de la délation, des calomniateurs, des images truquées diffusées par des crétins masqués – et il en était la victime.

Toutes ces photos faites par ces gamins irrespectueux sur la flèche de la cathédrale qui apparaissent dès qu'on tape son nom sur Google Images, cela ne l'amuse pas du tout, comme disait la reine Victoria.

Une vraie haine de ce Lupin s'est incrustée dans son cerveau. Ce qu'il a perdu, c'est sa gloire mondiale. Arsène, désormais, il ne veut pas le vaincre, il veut l'abattre.

Pour prendre sa revanche, son idée est inspirée par le stratège le plus admiré des Anglais, Napoléon : il faut frapper au chef, vaincre l'ennemi dans sa capitale. Il s'est juré de détruire le refuge de Lupin et de le traquer comme une bête dans sa tanière, là où il forme les hommes de sa bande, là où il a ses laboratoires secrets et ses ordinateurs, sa base de repli. Il ne s'agit plus d'Étretat, comme jadis, mais d'un site protégé, dont le nom de code — si l'on en croit un mail envoyé par Jacques, cet arriéré de la bande à Lupin, à un autre complice, et intercepté par les nouveaux venus de sa bande de Baker Street — avait été choisi avec poésie : « l'Aiguille creuse »…

Car Sholmès a désormais recruté toute une troupe de garnements passant leur vie sur Internet, qui piratent tout, hackent les sites, s'introduisent dans les messageries — toutes choses que le bon docteur Watson serait incapable de faire — et qu'il paie en billets de mille. C'est en croisant deux messages signés Grognard qu'il a compris que la mention de l'Aiguille creuse n'était pas une allusion au passé glorieux, mais bel et bien une adresse. Il n'avait pas été long à trouver, par déduction — et à tomber sur la photo des noces borostyriennes. D'où les deux billets pour l'aéroport Frédéric-Barberousse qui venaient de sortir de son imprimante. La Borostyrie, pays de chasseurs, où les armes étaient en vente libre…

*

«Olga, le paradis ne s'est pas créé en un jour! Pour les paradis fiscaux c'est pareil, crebleu de crebleu! Toi, avec ta grotte, tu es pour le moment un purgatoire fiscal, mais un purgatoire qui a de l'avenir... Il y a toujours un moment où avant d'avoir des banques on crée une première fortune avec des timbres-poste et des usines de peaux synthétiques pour les saucisses : tous les petits États ont commencé comme ça, pas de honte!

— C'était au xxe siècle! Il nous faut mieux. Tes idées sont géniales. Avant de te connaître je me disais qu'on n'allait pas pouvoir construire toute une économie uniquement sur la spéléologie. Je ne regrette pas d'être devenue Mme Horace Belmont, je t'adore. Le CNRS est une grande chose! Quand je pense que j'ai passé un an à Paris comme jeune fille au pair et que personne ne m'en avait parlé!»

Lupin régnait en despote éclairé. Dans le trois pièces-cuisine présidentiel, dont il avait fait refaire la salle de bains, il avait installé son ordinateur portable sur la table en Formica. Olga lui plaisait de plus en plus. Il était amoureux de sa femme. Leurs cheveux se mêlaient, penchés vers l'écran où s'affichaient les modélisations du grand projet qui allait faire de la Borostyrie un des pays dont on allait parler le plus dans les mois à venir. Horace Velmont avait trouvé la formule «Venez en Borostyrie, le pays du septième ciel» : les grottes qui abritaient désormais ses laboratoires, à la plus grande joie de Jacques, Sabine et

Karim, fidèles parmi les fidèles, serviraient d'abord à réaliser la grande invention qui allait enrichir le pays et lui donner une image à la mode, écologique, planétaire, généreuse et visionnaire.

Du cœur de la caverne surgirait bientôt le premier ballon stratosphérique habitable, capable d'envoyer par-delà les nuages de riches clients qui voudraient vivre enfin l'expérience de l'espace – sans risquer leur peau dans les navettes flageolantes des millionnaires américains mégalomanes. L'invention de Lupin était simple et raisonnable, réalisable : un ballon au bout d'un câble, qui monte et qui redescend, au bord duquel il serait possible de se préparer un petit déjeuner.

« La conquête spatiale, c'est aussi onéreux que démodé ! Pauvres Chinois qui veulent envoyer des hommes sur la Lune, ils auront cent ans de retard ! Pauvres gogos qui veulent aller sur Mars ! Inutile tout cela, on n'en apprendra pas plus sur l'univers… Alors que nous, ma petite Olga, regarde : ces milliardaires du monde entier qui viendront en Borostyrie pour vivre l'expérience de la montée vers l'espace et qu'on va faire raquer, ces braves gens auront en plus la conscience nette puisqu'il va s'agir de financer le premier plan d'étude des variations climatiques un peu sérieux dont la planète a besoin.

— Je n'aime pas quand tu m'appelles "ma petite", je suis tout de même cheftaine de l'État.

— Et pourquoi pas ? Tu es à la tête d'un petit État, c'est ça qui me plaît ! Écoute. Entrons-nous dans une nouvelle ère glaciaire ? Allons-nous vers un réchauffement climatique accéléré ? Combien de degrés en plus dans vingt ans ? Deux ou trois ou huit ou neuf, ça change tout, absolument tout. Les savants disent n'importe quoi. La seule chose certaine c'est que pour la première fois c'est l'action de l'homme qui va nous faire passer d'une ère à une autre. Il était temps, ma chérie, ma présidente, que cet interminable Quaternaire se termine ! Nous serons les premiers à expliquer au monde ce que sera la grande période suivante de l'évolution du globe, et tout cela pour une somme finalement assez modique et avec des instruments de mesure qui existent déjà tous. La nouveauté, ce seront nos techniciens qui iront travailler à une soixantaine de kilomètres d'altitude au-dessus des forêts borostyriennes, dans notre capsule laboratoire habitable, le module "Aiguille creuse" qui va percer le ciel. Tu ne trouves pas qu'il ressemble à l'Aiguille d'Étretat, je lui ai donné la même couleur…

— Je ne connais pas Étretat, mon amour, combien de fois devrai-je te le répéter ! Pour la teinte, c'est parfait, c'est mon beige, tu le savais ? »

Elle va venir avec moi, pour le vol inaugural, se disait-il, et il était heureux. Ce sera présidentiel. Toute la presse sera là. Ce ballon argenté en forme d'obus était construit depuis quelques jours, il allait être très confortable…

Et Lupin se mit à décrire à Olga le voyage qu'ils allaient entreprendre. Un voyage vertical, pour quitter la Terre. Il faudra choisir un jour un peu couvert pour le plaisir de traverser d'abord les nuages, puis de les regarder du dessus, sous le soleil, monter encore, jusqu'à percevoir la courbure de la Terre, entrer dans le noir, s'avancer ensemble dans l'espace, lever les yeux pour voir toutes les étoiles, ensemble. Les étoiles au-dessus d'eux, et la loi de Dieu devenue la loi des hommes inscrite dans leur cœur.

Mais pour que cela soit complet, il fallait que tous les invités fussent là : il attendait Beautrelet, et aussi ces deux charlots britanniques qui avaient eu la bêtise de commander deux billets d'avion sous leurs véritables noms…

*

À la douane du « Friedrich-Barbarossa International Airport », deux officiers arrêtèrent Paul Beautrelet, voyageur sans bagages, qui avait pourtant un passeport en règle et n'avait rien à déclarer.

Ils le conduisirent en bout de piste vers une petite voiture qui arborait un fanion à franges d'or marqué d'une aigle à deux têtes, à l'avant du capot, avec l'impressionnante immatriculation BS 001.

C'est Grognard qui, en gants blancs, ouvrit la portière arrière :

« Le patron est désolé de ne pas être là lui-même, il est déjà avec Mme la présidente de la République à Schwarzmooskogelhoehlensystem-Kaninchenhohle où il attend M. Isidore.

— Bravo, monsieur Jacques, accent impeccable.

— Je m'acclimate. Les forêts sont superbes ici, vous verrez. Vous pensez bien que la présidence de la République se fait communiquer chaque semaine les noms des passagers du vol hebdomadaire : on est intrigué, on veut savoir qui vient. Pas grand monde d'ailleurs dans l'avion, m'a-t-il semblé…

— J'ai eu la peur de ma vie dans ce coucou, surtout quand il survole une première fois la piste pour faire détaler le gibier avant de se poser, et deux escales, Munich et Vienne, c'est beaucoup !

— Le patron m'a dit de dire tout de suite à Monsieur que s'il souhaitait prendre la nationalité borostyrienne, ça pouvait s'arranger dans l'heure. Il pense qu'un premier prix Nobel c'est important pour lancer un nouveau pays.

— Vous êtes devenu borostyrien, Jacques ?

— Bien sûr, finis les impôts ! La voiture est modeste, mais bon…

— Toujours à grogner.

— Je pense que pour le Nobel, on a plus de chance quand on vient d'un petit État, vous devriez y réfléchir. Et on n'a pour le moment aucune des grandes disciplines représentées. Pas de danger que le pays ait son Nobel de littérature dans l'immédiat, j'apprends le sabir local mais je n'en suis pas encore à écrire des poésies, en physique-chimie ça sera plus facile : ne le dites pas à la présidente, mais entre nous leur langue nationale, c'est plutôt du dialecte…

— Ne jugez pas, Jacques. On y va ? »

Moins de vingt minutes plus tard, Olga et Arsène, rayonnants, accueillaient leur protégé – il avait fallu attendre les articles dans la grande presse pour qu'il comprenne enfin où était le repaire !

« Tu en as mis du temps, regarde, laisse-toi tenter : je te donnerai tout cela, quand tu voudras ! »

Lupin fit les honneurs du plus beau laboratoire du monde : sous la direction architecturale de Sabine avaient été aménagées une suite de salles dignes d'un roman de Jules Verne, au milieu des stalactites qui brillaient à cause des écrans et des projecteurs, avec des chercheurs en blouse blanche, à l'ancienne, qui travaillaient aux dernières étapes de l'œil de cristal, qui produisaient déjà, à partir du miel des forêts locales, les enzymes mutants dont Beautrelet aurait besoin pour la phase finale de ses découvertes.

La vie éternelle par le remplacement des cellules usées, la transformation des capacités du cerveau humain, l'étude de la transition climatique : Lupin avait volé, et caché là, tout ce qui avait le plus de valeur dans le monde d'aujourd'hui – sans se renier, car il entreposait aussi dans sa nouvelle retraite ces jouets si coûteux qui lui avaient tant plu aux autres époques, les tapisseries d'Aubusson et les Rubens du comte de Gesvres, les rivières de diamants de Dolorès Kesselbach et l'original de la tiare de Saïtapharnès, merveille d'orfèvrerie antique dont le Louvre avait acheté jadis une simple imitation… Il rayonnait. C'était quelque part dans ces grottes que, selon une ancienne légende, l'empereur Frédéric Barberousse, fondateur du duché de Borostyrie, continuait de vivre caché, immobile sur son trône d'or, le regard fixe, avec sa couronne fermée sur la tête, étincelante de pierreries. Sa barbe faisait sept fois le tour de l'escalier de roche sur lequel était posé son lourd fauteuil en forme d'oiseau de proie, il défiait la mort, dans l'attente du moment où il lui faudrait repartir au combat.

Beautrelet, malgré tout ce qu'il voyait, l'enthousiasme de Lupin, les projets qui pouvaient naître ici, le charme des paysages de la vieille Borostyrie, était inquiet.

Son avion n'était pas vide : une vingtaine de passagers étaient arrivés avec lui, un voyage scolaire du King's College de Cambridge sous la conduite de deux professeurs barbus. Devait-il prévenir Arsène ? Après tout, la police de la présidente Olga avait l'air d'être bien faite. Il était d'abord impatient de découvrir le ballon stratosphérique.

Lupin avait changé. L'amour le rendait grave et un peu philosophe. À moins que ce ne soient ses nouvelles fonctions de représentation lors des inaugurations d'écoles et de dispensaires. Il riait moins. Il jouait gros jeu. Dans ses aventures historiques, il s'était déjà taillé un royaume, chez les Berbères, en Mauritanie, mais beau joueur il l'avait offert à la France – ce qui lui avait permis, soit dit en passant, de faire amnistier tous ses forfaits par le président Valenglay. Le contexte, cette fois, était différent. Olga préparait avec lui un discours à l'ONU où la Borostyrie se présenterait comme le « laboratoire de la planète de demain ». C'était du sérieux. Pochette blanche, fine moustache, le soi-disant Horace Velmont inspirait désormais une sorte de respect – à se demander si ce prix Nobel, dont cet effronté de Grognard parlait sans cesse, il n'en rêvait pas pour lui-même. Il aurait tant fait, au bout du compte, pour la paix du monde.

Beautrelet ne fut pas surpris de retrouver là, aux côtés de Sabine, son épicier du coin de la rue : toute la « bande à Lupin » y avait pris ses quartiers. Ils allaient bientôt sans doute se répartir les nouveaux ministères, car il se murmurait que la présidente allait annoncer un remaniement dans les semaines à venir.

« À quoi crois-tu, Paul ? »

C'était la première fois depuis des mois que celui qui prétendait être Arsène Lupin appelait le petit Beautrelet par son vrai prénom.

Paul sentit qu'il ne devait pas répondre en Isidore :

« Je crois… mon Dieu… en ce que je vais découvrir demain. Ça va comme réponse ? Une réponse de chercheur en biologie et aussi en neurosciences, c'est mon métier. Vous devenez philosophe ? C'est l'âge ?

— Petit salaud. Si jamais on doit se quitter, je veux te mettre un peu de plomb dans la cervelle. Je sais que Sholmès est arrivé ici avec l'intention de me faire la peau, alors écoute-moi. La question n'est plus du tout de savoir si on croit ou pas en un autre monde, en une vie après la vie, en un ailleurs. Nous baignons dans des ailleurs, de tous côtés, des marmites où bouillonnent les autres vies et les vies des autres, les vies que les autres croient avoir, ce qu'ils nous montrent et ce que nous croyons qu'ils nous cachent, des écrans, des aquariums, des jeux vidéo qui ont remplacé tout ce à quoi on croyait il y

a vingt ans. Alors, l'autre monde, l'enfer, le purgatoire, le paradis, les tartines de mon ami Dante, ça
s'est un peu compliqué… Regarde-moi, j'ai dépassé
cela depuis des lustres ! Tes amis chercheurs, tes voisins de palier aussi, tous croient au monde virtuel,
d'abord, à ce qu'ils font et voient sur Internet, ils
pensent que le monde est dans leur téléphone, dans
leur tablette, dans les messages reçus sur leur ordinateur portable, dans les puces qu'on leur glissera
demain dans le crâne. Ils croient que les séries américaines et même les britanniques en disent plus sur la
réalité, la psychologie, les comportements humains
que ce que nous voyons. Que voient-ils encore ? Que
regardent-ils ? Qu'ont-ils envie d'avoir, de voler, de
cambrioler ? Que vivent-ils, s'ils vivent encore pour
de vrai quelque chose ? Laisse-moi te dire, Paul, ça
va aller en s'aggravant : la difficulté, le pari, l'acte
de foi le plus difficile, c'est d'échapper à toutes ces
espèces d'espaces et de croire en ce monde-ci. Croire
au monde vrai. C'est ce que je viens d'apprendre
avec Olga, enfin. Je l'aime. Elle m'aime. C'est pour
ça que tu me vois ici un peu plus sérieux que d'habitude. Ouvre les yeux. »

*

Le module était placé sur le sol rocailleux, comme
s'il était posé sur une autre planète. La partie haute
de la grotte avait été dotée de volets d'acier qui
venaient de s'ouvrir sans bruit. Des papillons de
nuit attirés par les lampes tournoyaient autour de ce

véhicule mystérieux qui allait percer les mystères des nuages et dénoncer la folie des hommes qui assassinent leur planète. De longs câbles d'acier étaient enroulés à côté.

Paul enleva ses chaussures pour entrer à l'intérieur. Il se dit que ça ne lui déplairait pas que Lupin appuie sur un bouton et que le ballon décolle, il avait envie d'essayer, de s'élever, il rêvait déjà de la silencieuse nuit du monde, des constellations et des étoiles filantes, des comètes dont on guette le retour, des naines blanches et des supernovæ, Pégase, Cassiopée, Orion, la Croix du Sud... On pouvait tenir à quatre à l'intérieur de ce tube surmonté d'un cône, y loger un peu de technologie, et surtout les fenêtres panoramiques allaient permettre de voir et de photographier. L'objet avait en effet la forme de l'Aiguille, mais Beautrelet se dit qu'il ressemblait aussi à la flèche de la cathédrale de Strasbourg, ce qui lui donna un petit frisson, auquel il ne cessa de repenser ensuite. Il sortit. Il eut le temps de faire un pas.

Les deux Anglais étaient entrés. Grognard et Sabine n'étaient pas là, personne ne les avait arrêtés. Les assistants en blouse blanche reculaient. Sholmès était armé, un fusil léger, qu'il tenait comme un véritable chasseur.

«Vous voilà enfin, messieurs! dit Arsène en se retournant lentement, pour leur faire face, sourire aux lèvres. Vous avez vu comme on vous a laissés passer sans difficulté, j'avais donné des consignes, contre l'avis d'Olga, je voulais que notre réconciliation ait lieu ici. Faisons la paix. Baissez votre arme, on ne tient personne en joue ainsi en présence d'un chef d'État. Vous feriez cela à Buckingham ? Dites-moi, Herlock, voyons… »

Ce crétin de Sholmès tira. Le bruit dans la cavité fut immense. Lupin tomba sans un cri, souriant toujours.

La dernière fois qu'il avait voulu tuer Lupin, c'est Raymonde de Saint-Véran, que le gentleman-cambrioleur tenait dans ses bras, qui avait été frappée. Il avait allongé son corps sur les galets de la plage, devant l'Aiguille.

Cette fois Arsène était seul face à Sholmès, et la balle ne l'avait pas manqué.

Il s'était effondré sans que Paul, sans que Sabine, Jacques et Karim aient eu le temps de s'interposer.

Olga se précipita pour relever son mari. Le sang coulait de la blessure, au torse.

Un groupe d'adolescents entra. Le voyage scolaire de Cambridge : Beautrelet n'eut pas le temps de s'en vouloir de n'avoir alerté personne. Personne n'avait compris comment le détective, ridicule avec sa fausse barbe, flanqué de son collaborateur plus grotesque encore, teint en roux comme s'il avait craint d'être reconnu par quelqu'un, avait fait pour les rejoindre.

Sholmès était resté debout, le recul de l'arme n'avait pas perturbé son sang-froid. Il faisait peur. Il tira une seconde balle, un instant à peine après la première. Olga tomba, aux côtés de son mari.

En chutant, elle déclencha la commande du ballon qui, dans un silence total, s'éleva avec lenteur, vide, vers les espaces infinis. L'Anglais ne manifesta aucune surprise, aucune peine, il ne dit rien. Il était devenu un assassin.

Avec un sourire, il désarma le grand mousqueton qui fixait l'attache de l'appareil, pour être sûr que la dernière trace de la gloire de Lupin disparaisse à jamais.

Il ne prit même pas la peine d'aller vers ses victimes pour leur porter secours. Il avait voulu abattre Arsène, il l'avait abattu comme un chien. Cela ferait de la peine à Ganimarion, petit plaisir mesquin supplémentaire.

John Watson, ce pleutre qui s'était tenu à l'écart – depuis l'Afghanistan, il avait une phobie des armes à feu –, avait pris trois malheureuses photos qui, le soir même, allaient faire de son blog un des plus consultés du jour, morne gloire.

Les deux gros bras de la sécurité présidentielle les entouraient. Herlock et Watson n'opposèrent aucune résistance. Personne ne chercha à rattacher le câble qui liait le module à la terre : on ne distinguait déjà plus sur le fond de la nuit cet engin si léger qui partait vers le ciel, sans passagers.

*

Rien ne s'était passé comme prévu. Le refuge sacré avait été violé. Olga, cette jeune femme intelligente et décidée, si pure, si belle, si dévouée à sa terre et à la démocratie, avait expiré deux secondes après Lupin, parmi les papillons de nuit un soir tragique, dans la forêt borostyrienne. Leurs sangs se mêlaient sur le sol.

Beautrelet, ce pur cerveau, ce jeune garçon émotif et brillant, s'était mis à pleurer sans bruit.

Le corps qui était étendu sur les rochers, mort cette fois, mort à jamais, ce grand cadavre en costume italien, était sans aucun doute possible celui d'Arsène Lupin, gentleman-cambrioleur.

Isidore lui jeta un dernier regard, un long regard d'amour filial, lui ferma les yeux, lui baisa la main, c'était l'adieu à sa jeunesse.

Pieds nus, il marcha en direction du gouffre, en suivant l'arête des pierres, décidé à aller, comme ça, au hasard, dans la nuit de la caverne qui reflétait celle de l'espace, aussi loin qu'il lui serait possible.

Épilogue

Le triangle d'or

Après la mort d'Arsène Lupin, la vie du jeune Beautrelet, qui ne se sentait plus si jeune, redevint ce qu'elle était : anormale, comme celle de tous les chercheurs scientifiques.

Il soutint sa thèse avec les félicitations du jury, et obtint un prix décerné par l'Académie des sciences. Ce jour-là, il reçut par la poste un paquet oblitéré à Strasbourg : il contenait une montre en or du modèle Classique Chronométrie à pivot magnétique de Breguet, qui venait de remporter à l'unanimité l'Aiguille d'or à Genève, ce prix Nobel des horlogers, et il resta songeur devant ce chef-d'œuvre, ne sachant comment remercier Joséphine Balsamo, comtesse de Cagliostro – dont il avait fini par penser qu'elle n'avait jamais existé.

Il enleva sa Swatch, essaya la montre de luxe, se regarda dans la glace – mais avant de sortir boire un verre avec ses amis d'université, il remit sa légendaire montre en plastique, qui allait mieux avec son éternelle chemise de coton blanc. Il revoyait le profil de Joséphine, dans la pénombre de la cathédrale de grès rose… Il se demanda même quand il la reverrait. La semaine dernière, Valeria, sa toute nouvelle petite amie, une Italienne un peu trop éprise de technologie, croisée devant la tour de Jussieu et aussitôt entraînée rue du Pont-aux-Choux, avait voulu lui offrir une de ces nouvelles montres qui mesurent la masse musculaire, le nombre de pas faits dans la journée, avec système intégré de géolocalisation et connexion Internet, il avait dit non tout de suite…

Pour son premier article dans la revue *Nature* (Royaume-Uni), il avait créé sa première polémique. Il avait trouvé très vite un poste à l'université. Sa mère était aux anges. C'était glorieux. Son père aurait été fier de lui s'il avait été là. Lui, bien sûr, cela ne lui suffisait pas. Il avait tant de regrets.

Il avait toujours sa petite radio, celle de ses dix ans, sous son lit, cadeau de sa tante Élisabeth, sa tante préférée, et rien que d'appuyer sur le bouton, c'était pour lui un repos absolu, un monde sans images virtuelles, sans écrans, des voix, du son, de la musique… Le flash d'information de dix-huit heures glissa sur lui comme une vague apaisante. Il avait tellement travaillé, vécu tellement de choses depuis un an que les nouvelles du monde ne le touchaient plus guère.

Il n'était question que de corruption politique. La rumeur d'un retour au franc revenait, lancinante. Le président de la Monnaie de Paris démentait que les modèles de coins monétaires existaient déjà dans ses armoires : « Et j'interdirais même à nos artisans d'y travailler si l'un d'eux me le proposait, cette légende tenace est absolument absurde.» Voilà qui était clair.

La situation en Europe centrale était toujours aussi préoccupante, la guerre civile était près d'éclater en Autriche, au Liechtenstein et en Borostyrie. Paul ferma les yeux. L'émirat de Barjah était fier d'afficher qu'il était devenu la première destination touristique du Moyen-Orient. En France, les comptes de campagne du président de la République, Guillaume Graindorge, venaient d'être invalidés par le Conseil constitutionnel. C'était une bombe politique. Le vieux président Achille-Louis Loumet, qui siégeait parmi les sages, annonçait avec une jubilation contenue la nouvelle aux journalistes regroupés au Palais-Royal. Le fringant Graindorge allait-il devoir démissionner une semaine après son élection ?

Intéressé, Beautrelet regarda quand même sur sa tablette, il voulait entendre exactement la manière dont Loumet, du même bord politique que Graindorge et qui pesait chaque mot en grand avocat, s'y était pris pour poignarder ainsi son ami de toujours, son ancien poulain, le nouveau chef de l'État. Il l'entendit déclarer : «Cela n'est jamais arrivé dans l'histoire de la République qu'on annule l'élection d'un chef de l'État. Et pourquoi pas ?»

*

Il ne faut pas prendre ses rêves pour des réalités. Paul Beautrelet – il a cessé, depuis cette horrible nuit dans les forêts de Borostyrie, de s'appeler lui-même Isidore – a un doute : il a frémi en entendant cette phrase, dite d'une voix chevrotante. Le sage menton du président Loumet lui semble étrange, et lui rappelle quelqu'un…

À peine cette image effacée de l'écran, la nouvelle qui suit bouscule l'actualité. Paul allume sa télévision pour regarder le direct. France 2 filme un luxueux immeuble du XVIe arrondissement de Paris, du côté de l'avenue Montaigne, dans ce paradis invivable que les agents immobiliers appellent le « triangle d'or ».

La société Galathée, qui a organisé tous les meetings du président Guillaume Graindorge, et lui a permis d'être le plus jeune à accéder à cette fonction depuis Valéry Giscard d'Estaing, vient d'être cambriolée, en plein Paris, entre deux boutiques de luxe couronnées d'un diadème de caméras de surveillance. C'était le quatrième cambriolage dans ce quartier depuis un mois, les commerçants se plaignaient sur France 3 Paris Île-de-France. Sauf que cette fois-là, aucun d'entre eux n'était touché.

On n'a pas pris d'argent, dans l'appartement haussmannien transformé par Galathée en bureaux « de prestige », mais on a raflé tous les ordinateurs, douze portables extraplats, qui ont dû tenir dans une petite valise. La porte n'a pas été fracturée. Le voleur devait même être connu du personnel de la société.

Paul sourit. Il a cessé d'avoir froid, alors que sa fenêtre est grande ouverte. Il se lève.

Le seul indice qu'aient trouvé les enquêteurs est,

sur la sonnette, un petit bristol avec l'angle droit corné. Mais évidemment, l'inspecteur Ganimarion, déjà sur les lieux en personne, affirme qu'il faut considérer l'information avec la plus grande prudence. Il semble à la fois préoccupé et, curieusement, ragaillardi.

La caméra fait ensuite un gros plan sur cette carte de visite à l'ancienne, sans adresse ni téléphone, imprimée dans un élégant bleu-gris où l'on peut lire :

Arsène Lupin,
gentleman-cambrioleur,
(à suivre).

Lettre de l'auteur à Maurice Leblanc

Cher Maître,

Le cent cinquantenaire de votre naissance a été l'occasion de grandes fêtes en votre honneur, à Paris, au Petit Palais, et chez vous, à Étretat. Vous avez été relu comme vous deviez l'être : comme un écrivain. En France, le roman policier passe encore trop souvent pour un genre mineur. Vous qui rêviez d'être Flaubert ou Maupassant avez su révéler, en filigrane, dans vos nouvelles et vos romans, le potentiel policier que contiennent *Madame Bovary* et *Le Horla*.

Dans la tradition de Balzac, qui inventa le roman policier français avec une nouvelle méconnue, *L'Auberge rouge*, premier récit d'un meurtre perpétré dans une chambre close, et dans son célèbre roman *Une ténébreuse affaire*, vous avez compris qu'à travers le roman à énigmes c'était toute la littérature du XIXe siècle, dont vous étiez l'héritier, qui pouvait se prolonger, par d'autres moyens, dans votre XXe siècle.

La nouvelle vie d'Arsène Lupin

Vos «Lupin» ont été, à leur manière, votre version de *L'Envers de l'histoire contemporaine*, pour citer un autre titre de Balzac. Vous avez mêlé à vos histoires le Kaiser Guillaume II, les premiers sous-marins, l'automobile et les immeubles du Paris moderne. C'est pour cela aussi, pour ces détails qui créent un esprit d'époque, un ton 1900, que vos romans sont devenus des classiques, susceptibles d'inspirer un auteur d'aujourd'hui, qui a eu envie de lancer votre héros, le gentleman-cambrioleur, dans ce XXIe siècle où on ne vole pas les mêmes choses que de votre temps.

Nos coffres-forts sont virtuels, nos guerres sont souvent sans armes, nos trésors ne sont plus uniquement des œuvres d'art. Votre héros, lui, est immortel, et grâce à lui vous avez réussi à être le vrai successeur de ceux que vous admiriez dans votre jeunesse et qui vous ont donné envie d'écrire. C'est ce même tribut de reconnaissance que veut vous payer, modestement, un romancier qui doit tout à ses lectures d'adolescence, et qui dédie respectueusement ces pages à votre mémoire.

Post-scriptum

Ces sept aventures sont une fantaisie contemporaine, écrites «pour le divertissement de l'auteur», selon la formule de Théodore de Wyzewa dans un mémorable article au sujet du roman anglais paru en 1907 dans *La Revue des Deux-Mondes*.

Elles reprennent les titres de quelques romans et nouvelles célèbres de Maurice Leblanc. Mes remerciements vont à ma chère Florence Leblanc, à laquelle je tiens à associer le souvenir de son mari, mon ami Michel Boespflug, qui m'a autorisé à transposer ainsi à l'époque contemporaine les aventures du gentleman-cambrioleur et à utiliser les personnages inventés par son grand-père.

Je suis sensible à ce témoignage d'amitié, qui est aussi un grand honneur, puisque la famille Leblanc n'avait jusqu'alors donné cette autorisation qu'à Boileau et Narcejac et à Michel Zink.

Quant aux récits eux-mêmes, ils sont liés, comme le faisait Leblanc, à des événements d'actualité et à des personnes réelles: toutes ces ressemblances avec des faits existants sont donc parfaitement volontaires.

Il est évident que François-Étienne Trévignon ressemble un peu à Michel-Édouard Leclerc, Tristan de Paramparz à Christian de Portzamparc et Juzo Tadamishi au dessinateur Jirô Taniguishi, les caisses Bouchu aux célèbres caisses Chenue qui assurent le transport des œuvres d'art des plus grands musées, tous, les entreprises et leurs dirigeants, les ministres de la Culture, les présidents du Louvre et les bedeaux de la cathédrale de Strasbourg me pardonneront, je l'espère, de les avoir transformés en figures fictives, dans ce roman dédié au roi des déguisements et des pseudonymes, en prenant bien sûr les plus grandes libertés avec la réalité. Antoine Gallimard, PDG de Gallimard et de Flammarion, verra que le personnage de l'inspecteur Ganimarion est avant tout inspiré par le personnage de Ganimard, l'inspecteur ridicule créé par Leblanc – ce dont son grand-père, Gaston Gallimard, ne s'était pas formalisé outre mesure…

Chez Grasset et Fasquelle on se souvient encore que Maurice Leblanc, en 1919, avait acheté la villa Le Sphinx d'Étretat à son ami l'éditeur Eugène Fasquelle, pour la baptiser Clos Lupin. C'est dans cette maison de famille, devenue un musée, inscrite récemment sur la liste des « maisons des illustres », que le prix Arsène-Lupin de littérature policière est remis chaque année. Toute ma gratitude va à Olivier Nora, qui dirige aujourd'hui la maison d'édition que fonda Eugène Fasquelle, qui m'a beaucoup encouragé à oser ressusciter le gentleman-cambrio-leur, ainsi qu'à mon éditeur, Charles Dantzig, que je ne remercierai jamais assez pour ses conseils et ses attentives relectures. Au Clos Lupin, on voit encore, sur les portes et fenêtres qui donnent du côté du jardin, les verrous posés par Maurice Leblanc à la fin de sa vie, craignant de voir Arsène, bien vivant, arriver chez lui à l'improviste : depuis quelques mois, les gardiens de la villa ont plusieurs fois signalé que certains soirs, après le départ des visiteurs, ils étaient étrangement à nouveau ouverts. Lupin ? Et pourquoi pas ?

TABLE

Cet ouvrage a été imprimé en France
par CPI Bussière
à Saint-Amand-Montrond (Cher)
en mars 2015

Composition MAURY IMPRIMEUR
45330 Malesherbes

Grasset s'engage pour
l'environnement en réduisant
l'empreinte carbone de ses livres.
Celle de cet exemplaire est de :
620 g éq. CO₂
Rendez-vous sur
www.grasset-durable.fr

PAPIER À BASE DE
FIBRES CERTIFIÉES

N° d'édition : 18795 – N° d'impression : 2014924
Dépôt légal : avril 2015